HARTFORD PUBLIC LIBRARY
3 2520 10591 5457

D1412176

Quinua

Quinua

PENNY DOYLE

LIBSA

C/ San Rafael, 4
28108 Alcobendas. Madrid
Tel. (34) 91 657 25 80
Fax (34) 91 657 25 83
e-mail: libsa@libsa.es
www.libsa.es

ISBN: 978-84-662-2955-5

Traducción: Alfredo Martín Pérez

Título original: *The quinoa cook book*

DL: M 6105-2014

Créditos fotográficos: Salvo que se especifique lo contrario, todas las imágenes de este libro son cortesía de Cody Images.

CONTENIDO

INTRODUCCIÓN

Es destacable el ascenso que ha sufrido la quinua, que ha pasado de ser un alimento básico exclusivo del subcontinente americano hace 6.000 años a convertirse en un «superalimento» occidental emergente. La excelencia nutricional de la quinua está disparando la demanda internacional y la producción se ha incrementado en más de un tercio en los últimos años. En comparación con otros alimentos amiláceos (como el arroz o la patata), la quinua contiene más proteína, grasas saludables, calcio, hierro y vitaminas del grupo B que cualquiera de ellos. Y no tiene colesterol ni gluten, y posee el beneficio adicional de ser integral.

En las cocinas modernas, así como en los restaurantes más prestigiosos del mundo, tanto los chefs como los cocineros están descubriendo la versatilidad de la quinua en todas sus formas, mientras que los atletas y dietistas preocupados por la salud se han rendido a sus beneficios nutricionales. Ya sea utilizada como grano, en copos, como harina, inflada o en forma de pasta, la quinua ha demostrado ser una buena alternativa a los carbohidratos básicos, tales como la pasta, el arroz, las patatas y el cuscús en la dieta familiar. Con su textura, crujido y color llamativo de las variedades roja y negra, junto a la amplia cantidad de usos, esto solo puede ir a más.

Estas 50 recetas ofrecen toques vibrantes y combinaciones de sabores de todo el mundo para crear platos irresistibles y deliciosos, llenos del poder nutritivo de este «superalimento». Las recetas han sido adaptadas para encajar en agendas apretadas ya que sus ingredientes son fáciles de encontrar. Las instrucciones, sencillas de seguir, llevan al lector paso a paso a través de todas las fases de cada plato, y las páginas están llenas de trucos de cocina, consejos e información nutricional.

Este libro hará las delicias de aquellos que estén buscando inspiración sobre cómo maximizar el uso de la quinua, y logrará cautivar a todos aquellos que aún no han descubierto a la «madre inca de todos los granos».

Penny Doyle

UNA HISTORIA FASCINANTE

Arriba. Un campo de quinua madura en los Andes peruanos, donde los incas fueron los primeros en cultivarla.

Derecha. Gran parte de la quinua producida en el mundo proviene de Bolivia, y prospera en terrenos altos y extremadamente secos, donde ni siquiera crece la hierba.

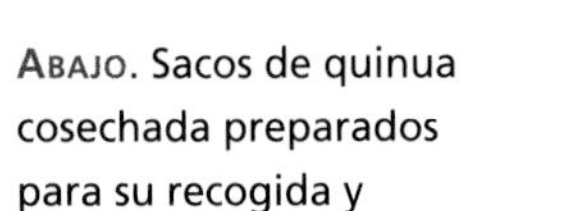

Abajo. Sacos de quinua cosechada preparados para su recogida y eventual exportación, en Challapata, Bolivia.

La quinua que compramos hoy en día es la semilla de la planta *Chenopodium quinoa*. Es llamada quinua, quinoa o quínoa. Es clasificada por algunos nutricionistas como un «pseudo grano» porque contiene un perfil nutricional y propiedades de cocinado similares a los que poseen otros granos, aunque técnicamente siga siendo una semilla. La quinua está relacionada con la acelga, la espinaca y la remolacha, y ha sido seleccionada para producir semillas de diferentes colores, tales como el rojo, el amarillo, el morado o el negro, pero la variedad más fácil de conseguir es la «perlada», de un color crema muy claro.

ALIMENTO DE LOS INCAS

La quinua es propia de los pueblos del altiplano de Sudamérica, quienes comenzaron a cultivarla hace más de 6.000 años y fue un alimento muy estimado por los incas, que la usaban como cereal básico para la elaboración de cerveza y pan. Era considerada una parte tan importante de la dieta en áreas de la cordillera de los Andes (donde la agricultura estaba muy condicionada por la altitud y las temperaturas) que era más valiosa que el oro, y muchos creían que poseía poderes sobrenaturales. Los incas se referían a ella como *la chisiya mama* (el grano madre), pues también pensaban que aumentaba la longevidad.

La quinua era valorada especialmente como alimento por los guerreros incas, los cuales tenían que viajar a lo largo del Imperio inca, marchando durante semanas a elevadas altitudes, sin acceso a carne o alimentos de origen vegetal. La quinua les proveía de un aguante y resistencia cruciales, y solía comerse mezclada con grasa en forma de albóndigas. Los conquistadores españoles, reconociendo su poder, fracasaron al intentar erradicarla durante el siglo xv mediante la promulgación de una ley que consideraba su cultivo como un crimen que podía ser castigado con la muerte. La supervivencia de la quinua cultivada es un testamento de la valentía y el ingenio de los indígenas, quienes hicieron plantaciones secretas en las zonas altas de los Andes, donde evolucionó para sobrevivir a climas adversos de sequías, heladas e intensa luz solar, siendo capaz de prosperar a temperaturas que abarcan desde -18 hasta 18 °C.

Habiendo demostrado su aguante durante este periodo, la quinua se ganó su título de «superalimento» y hoy se cultiva en todo

el mundo. Sin embargo, hasta ahora los agricultores de otras regiones han sido incapaces de igualar la calidad de las excelentes semillas, dulcemente frágiles y de colores brillantes que vienen de las altas montañas de Sudamérica.

CULTIVO E INVESTIGACIÓN

La Asamblea General de las Naciones Unidas declaró el 2013 como Año Internacional de la Quinua, en reconocimiento a las prácticas ancestrales de los pueblos andinos, quienes lograron preservarla en su estado natural, como alimento para el presente y las futuras generaciones. Organizaciones de ayuda exterior han contribuido a mejorar su posición para la exportación comercial en Perú y Bolivia, aunque la quinua se cultiva actualmente también en otras áreas de Sudamérica, Estados Unidos (Colorado), Canadá, Europa, Kenia y el Norte de India.

Existe un interés medioambiental creciente en el cultivo de quinua en Europa, y hay algunas investigaciones sobre su posible uso en la industria farmacéutica. Existe la teoría de que sus saponinas podrían ayudar a la absorción de medicamentos y tener propiedades antibióticas y antifúngicas. Los habitantes de los Andes que cultivan la quinua usan el agua rica en saponinas (un subproducto del lavado de la quinua) como jabón crudo. La NASA también está investigando si podría cultivarse dentro de las naves espaciales, como alimento muy nutricional para astronautas.

Sea cual sea el resultado de estos proyectos de investigación que están en pleno desarrollo, no hay duda de que allá donde pueda ser cultivada, habrá un mercado entusiasta alrededor de la quinua, como el reconocido «superalimento» rico en nutrientes que se ha demostrado que es.

ABAJO. Semillas crudas de quinua blanca, antes de ser procesadas.

QUINUA: UN VERDADERO «SUPERALIMENTO»

Arriba. Quinua plantada en un campo cerca del pueblo de Circuta, en la provincia de Oruro, Bolivia.

Derecha. Las semillas de la planta deben ser molidas y lavadas antes de ser vendidas.

El término «superalimento» se usa, justificadamente, para describir la quinua, pues puede alardear de tener un perfil nutricional increíble en comparación con otros granos y carbohidratos. Además, la quinua es fácil de almacenar, transportar y cocinar, y es barata considerando la cantidad y variedad de nutrientes que contiene.

PERFIL NUTRICIONAL

La quinua aporta a la salud unos beneficios impresionantes que fueron detectados por primera vez por los incas, pero que ahora han quedado avalados por análisis e investigaciones modernas. Habiendo logrado el título de «apreciada» y con un contenido proteico que varía entre el 12 y el 20 por ciento, la quinua contiene los nueve aminoácidos esenciales (los bloques de construcción de proteína), incluyendo lisina, metionina, cistina e histidina, que son menos frecuentes. Este último es considerado como esencial en el desarrollo de los niños, y se cree que ayuda a promover embarazos sanos y mejorar la calidad de la leche materna. Se descubrió que había una mayor malnutrición infantil entre los niños incas cuando la quinua pasó a ser un alimento prohibido durante el periodo colonial.

En base exclusivamente a su perfil de aminoácidos, la quinua es considerada superior al trigo, a la cebada e incluso a las habas de soja. La quinua es apreciada universalmente por atletas, practicantes de deportes de fuerza y físicoculturistas, pues ayuda a reparar y crear músculo tras el entrenamiento. También es baja en grasa, no tiene colesterol y es una buena fuente de fibra, vitaminas del grupo B y minerales, incluyendo hierro, calcio, cobre, manganeso, magnesio, cloruro y potasio.

Algunas investigaciones afirman que la quinua aporta beneficios médicos, además de los nutricionales. Es posible que la quinua sea un alimento útil para aquellos que sufren dolores de cabeza, pues el magnesio podría favorecer el riego sanguíneo en el cerebro, ali-

viando así el dolor. Los abundantes antioxidantes naturales de la quinua, que actúan como conservantes del grano, podrían disminuir el riesgo de algunos cánceres. También hay un creciente interés en sus posibles propiedades antiinflamatorias, que podrían ayudar en el tratamiento de artritis reumatoide.

LIBRE DE GLUTEN

A diferencia de otros granos (como por ejemplo el trigo, la cebada o el centeno), la quinua no contiene gluten, el cual causa problemas intestinales y mala absorción en aquellas personas diagnosticadas con celiaquía. Es, por tanto, una alternativa valiosa a la pasta, a los cereales y al pan para los celíacos, pero también para el creciente número de personas intolerantes al gluten y que se sienten mejor con dietas libres de este. La amplia gama de productos de quinua disponibles y su versatilidad se suman a su creciente atractivo.

INTEGRAL

La quinua también es clasificada como «integral», pues contiene los tres elementos de la semilla (gérmen, endospermo y salvado). Un mayor consumo de cereales integrales está asociado con un menor riesgo de patologías crónicas, incluyendo enfermedades cardiovasculares, diabetes y algunos tipos de cáncer. En parte debido a su título de integral, la quinua es también un alimento de bajo índice glucémico (IG). El IG hace referencia a la velocidad a la que un carbohidrato eleva los niveles de azúcar en sangre, y la saciedad que puede sentirse después de comerlo. Los alimentos de bajo IG, como la quinua, el boniato y el pan de grano entero, hacen sentir más saciado durante más tiempo que los alimentos de IG alto, como el puré de patatas o el pan blanco.

ALTA EN FIBRA

La fibra, a pesar de que en teoría no es un nutriente porque la mayor parte de ella no se digiere, es esencial para la salud y el funcionamiento de nuestro sistema digestivo, y puede ser soluble o insoluble. La quinua es un alimento alto en fibra con el doble beneficio tanto de la soluble (su tercera parte) como de la insoluble (sus otras dos terceras partes). La fibra insoluble no se digiere en el intestino y es vital para la prevención del estreñimiento, las hemorroides y las enfermedades del intestino, incluyendo cáncer. La fibra soluble mantiene bajos los niveles de colesterol ayudando a bloquear su absorción a partir de los alimentos. También podría ayudar a reducir la presión sanguínea y otras grasas poco saludables presentes en la sangre. Los alimentos ricos en fibra también ayudan a mejorar la sensibilidad a la insulina, lo cual podría reducir el creciente número de casos de diabetes tipo 2.

Por sí sola, como alimento rico en fibra, la quinua puede ayudar en la reducción de enfermedades relacionadas con el intestino y del aparato digestivo, pero cuando a esto se le añaden los beneficios nutricionales cargados de salud, está claro que la quinua realmente se puede calificar como «superalimento».

Arriba del todo. Espiga de semillas en la planta de quinua.

Arriba. Cuenco de semillas de quinua procesadas y lavadas, listas para cocinar.

COMPARACIÓN NUTRICIONAL

Porción media (para todos los granos = una taza)	Energía (kcal)	Proteína (gramos)	Hidratos de carbono (gramos)	Grasa (gramos)	Fibra (gramos)	Calcio (mg)	Hierro (mg)	Libre de gluten	Integral	Índice glucémico
Quinua (185 g cocinada)	222	8	39	4	5	31	3	Sí	Sí	53
Arroz integral (185 g cocinado)	218	5	45	2	3,5	20	1	Sí	Sí	50
Macarrones (140 g cocinados)	221	8	43	1	3	10	1	No	No	47
Pan de trigo integral (una rebanada grande)	104	5	17	1'4	3	45	1	No	Sí	65-70
Patata asada (mediana, con piel)	161	4	37	Trazas	4	26	2	Sí	No	60
Cuscús (157 g cocinado)	176	6	36	Trazas	2	13	1	No	No	65
Bulgur (182 g cocinado)	151	6	34	0'5	8	18	2	No	Sí	48
Fideos huevo (160 g cocinados)	221	7	40	3	2	19	1	No	No	61

Fuente: USDA Biblioteca Nacional de Agricultura, Laboratorio de Información Nutricional (Online).

CONOZCA LA QUINUA: UNA SEMILLA VARIADA

Arriba. Un cuenco de quinua cocinada tiene multitud de usos, ya sea en ensaladas, como entremés o mezclado con sopas y guisos para añadir consistencia.

La quinua está disponible en varias formas distintas, lo cual hace mucho más versátil su uso en la cocina. Los grandes supermercados, cada vez más frecuentemente, ofrecen la quinua perlada, pero también se puede encontrar quinua roja y negra en Internet o en herbolarios, así como copos de quinua, pasta, quinua inflada o harina. Sin embargo, según crezca la demanda de quinua, también lo hará su disponibilidad. Tomarse el tiempo de preguntar por la quinua, en todas sus formas, en supermercados y tiendas de alimentación locales también puede ayudar a incrementar la conciencia sobre este producto y ayudar a impulsar la demanda.

TIPOS DE QUINUA

Brotes de quinua

Son semillas de quinua germinadas, lo cual se logra almacenando la quinua húmeda en un lugar oscuro durante varias horas, y son una buena forma de añadir un toque crujiente, una textura distinta y nutrientes a ensaladas y sándwiches. Más adelante se describe el proceso de manera detallada.

Copos de quinua

Estos copos son semillas de quinua que han sido aplastados en un proceso similar a los copos de avena y se usa de la misma manera. Se cambia la avena por copos de avena en gachas, muesli, granola, crujientes o repostería al horno. Una vez cocinados, mantienen una textura ligeramente más firme que la avena.

Harina de quinua

Es una harina de textura especial y sin gluten, que suele estar disponible en herbolarios o puede conseguirse a través de Internet. Es fácil de hacer en casa moliendo la quinua cruda con un robot de cocina. La harina de quinua se usa como espesante en salsas y en panes, bizcochos, galletas, pastelería e incluso en postres. Es mejor guardarla en la nevera para preservar su frescura.

Hojas de quinua

Las hojas anchas de la planta *Chenopodium quinoa* pueden comerse como verdura o en ensalada, y es parecida al amaranto, pero su disponibilidad comercial está limitada a áreas donde se cultiva la quinua, en zonas altas y secas. Por esta razón no han sido añadidas a las recetas de este libro, pero se pueden hacer al vapor, mezcladas con otras hojas de ensalada.

Pasta de quinua

La pasta puede estar hecha enteramente con harina de quinua, o de una mezcla de harinas de quinua y arroz. Se cocina de la misma

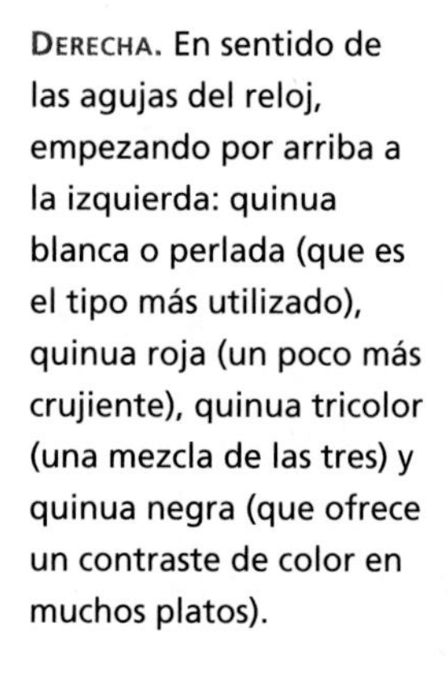

Derecha. En sentido de las agujas del reloj, empezando por arriba a la izquierda: quinua blanca o perlada (que es el tipo más utilizado), quinua roja (un poco más crujiente), quinua tricolor (una mezcla de las tres) y quinua negra (que ofrece un contraste de color en muchos platos).

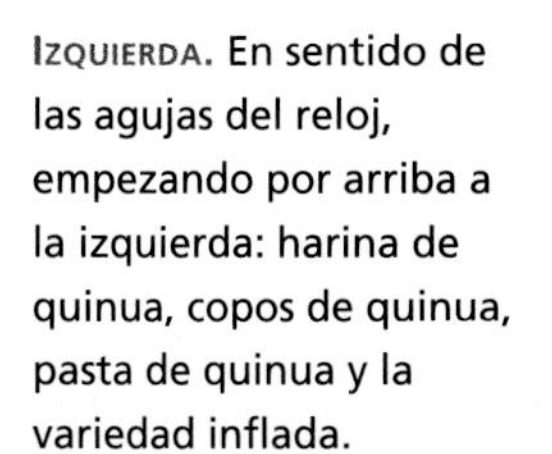

IZQUIERDA. En sentido de las agujas del reloj, empezando por arriba a la izquierda: harina de quinua, copos de quinua, pasta de quinua y la variedad inflada.

manera que la pasta normal y tiene un sabor muy parecido. Puede encontrarse en tiendas o a través de distribuidores online.

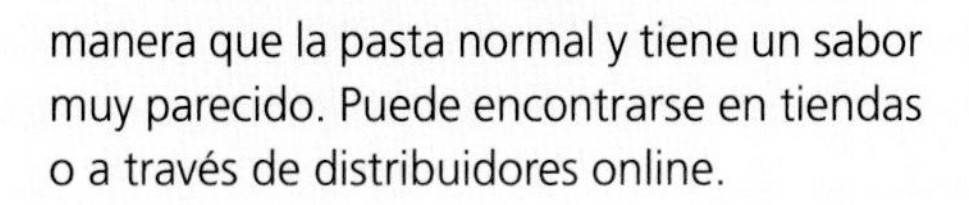

Quinua inflada
Estas son semillas de quinua hinchadas, que son similares al trigo inflado pero mucho más pequeñas. Se pueden encontrar en Internet.

Quinua negra
Esta es la semilla de quinua más dura, y es crujiente incluso después de cocinarla. Se puede usar del mismo modo que la perlada y la roja, o mezclarla para lograr efectos visuales llamativos.

Quinua perlada
Los granos de quinua color blanco crema son el tipo más extendido. Puede utilizarse en platos salados en lugar de otros carbohidratos, en ensaladas como grano cocinado o germinado, y en cereales de desayuno y postres. Tiene una textura suave y mullida una vez cocinada, y un ligero sabor a nuez.

Quinua roja
Normalmente es más difícil de encontrar y la más cara. Puede utilizarse de la misma manera que la quinua perlada, pero tiene un color rojo-marrón vibrante, una textura ligeramente más firme y un sabor a nuez más fuerte una vez cocinada. Es estupenda para darle vida a los platos por sí misma o mezclada con quinua de otros colores.

Quinua tricolor
Esta es una mezcla comercial, compuesta normalmente por quinua perlada, roja y negra, que sirve para hacer platos muy vistosos, en especial ensaladas. La quinua negra hace que el resultado, una vez cocinado, tenga un toque crujiente, lo que ayuda a crear un contraste de texturas. Por supuesto, cada uno puede hacer sus propias mezclas.

COCINANDO CON QUINUA

ARRIBA. Enjuagar la quinua en agua y frotarla asegura la eliminación de todas las saponinas, que tienen sabor amargo.

El tamaño relativamente pequeño de este «pseudo grano» implica que tarda menos tiempo en cocinarse que otros granos comparables a él, como el arroz, la cebada o el alforfón, y aumenta casi tres veces su volumen tras absorber el líquido en el que se prepara. Una vez cocinada, la quinua adquiere una textura mullida y aparecen unos rizos blancos (el germen cocinado) muy pequeños que le aportan cierta extravagancia. La quinua debe prepararse «al dente», quedando un poco crujiente, pero evidentemente el tiempo de cocinado puede ajustarse para adaptarlo al plato en el que se vaya a usar o a los gustos personales.

CÓMO QUITAR LAS SAPONINAS

La principal diferencia en la preparación de la quinua, en comparación con el arroz u otros granos, es que esta necesita ser aclarada en agua antes de cocinarla para eliminar las saponinas naturales que cubren la semilla. Las saponinas contribuyen a la dureza natural y al aguante ya demostrado a través de los siglos de la quinua, pues actúan como pesticidas naturales durante su desarrollo. Esta es una ventaja económica enorme, pues ayuda a mantener bajos los costes protegiendo la cosecha de aves e insectos.

Desgraciadamente, las saponinas tienen un sabor amargo, pero pueden eliminarse fácilmente mediante el lavado. La mayoría de la quinua comercial está ya lavada, pero es probable que queden algunas saponinas. Es suficiente con dejar que corra algo de agua entre la quinua usando un tamiz o un colador y frotándola con los dedos para eliminar los residuos que queden. Una vez aclarada, hay varias formas de cocinar la quinua.

COCINAR A FUEGO LENTO Y DEJAR QUE ABSORBA EL AGUA

1. Enjuague la quinua con agua. Añada una parte de quinua y dos partes de agua en una cazuela. Llévela al punto de ebullición, cubra y cocine a fuego lento durante 14-16 minutos, hasta que se absorba todo el agua. No es necesario remover.

2. Si quiere que los granos queden más hinchados y blandos, retire del fuego cazuela, tápela y déjela 10 minutos más. Debería quedar poca agua, pero escurra toda la que sobre.

HERVIR Y ESCURRIR

1. Este es un buen método para eliminar el exceso de saponinas. Enjuague la quinua y viértala en una cazuela grande con agua hirviendo (una parte de quinua y cuatro partes de agua aproximadamente).

2. Llévela al punto de ebullición y hierva a fuego lento, sin tapar, durante unos 15 minutos, hasta que la quinua esté hinchada y mullida. Después escúrrala y sírvala.

AL VAPOR

Enjuague la quinua. Siga las instrucciones del fabricante para cocinar arroz blanco en una olla vaporera eléctrica, al fuego o en un microondas, pero recuerde que la quinua se expande hasta dos veces su volumen en crudo, así que deje espacio suficiente.

COCCIÓN LENTA

1. Enjuague la quinua y, usando una olla de cocción lenta, siga las instrucciones del fabricante para cocinar arroz blanco.

2. O añada quinua a sopas y guisos, usando una parte de quinua para dos partes de caldo. Sirva inmediatamente después de cocinar para evitar que la quinua absorba todo el caldo.

AL HORNO

Ponga la quinua con caldo o agua (una parte de quinua para dos partes de agua/caldo) en una cazuela, cúbrala y hornee a 180 °C durante 30-35 minutos.

ASADA

1. Enjuague y seque la quinua. Espárzala en una bandeja de horno sin engrasar.

2. Hornee a 180 °C durante 25-35 minutos, hasta que esté dorada y crujiente. Déjela enfriar completamente y guárdela en un recipiente hermético. Úsela como condimento para ensaladas, mezclada con otras semillas o frutos secos tostados.

USOS DE LA QUINUA COCINADA

La tabla de abajo le ayudará a calcular cómo cocinar la cantidad correcta de quinua para nuestras recetas, algunas de las cuales usan quinua cocinada como punto de partida. Recuerde que si usa líquidos más concentrados para cocinar la quinua, como leche o zumos de frutas en pudines o gachas, necesitará más volumen de líquido para ayudar a que la quinua se cocine hasta quedar tierna. Como regla general, añada un 25 por ciento extra. Por ejemplo, una parte de quinua para dos partes y media de leche, zumo de frutas o sirope, pero puede hacer falta añadir algo más.

CONSERVACIÓN DE LA QUINUA

El alto contenido en grasas poliinsaturadas de la quinua hace que se degrade rápidamente si se guarda en un lugar fresco. En casa, esto significa un recipiente hermético en un armario oscuro. La harina de quinua, con un contenido mayor de grasa, es mejor conservarla en un recipiente hermético dentro del frigorífico.

La quinua inflada son semillas hinchadas que pueden utilizarse en pastelería, mueslis o granola, y debe conservarse en un recipiente hermético.

La quinua cocinada debe guardarse en el frigorífico, cubierta, y usarse en menos de una semana. También se puede congelar y guardar en un recipiente de plástico o cristal, o en bolsas de congelación y mantenerla en el congelador para cuando haga falta.

O bien se puede añadir quinua congelada directamente a las recetas, pues se saca fácilmente con una cuchara de los recipientes o bolsas y se descongela rápido si se mezcla con comidas calientes, como guisos o sopas.

Así pues, el cocinado y almacenado de quinua en grandes cantidades es una forma eficaz de ahorrar tiempo y energía. Sin embargo, si va a utilizar la quinua congelada en platos fríos o ensaladas, es mejor descongelarla dejándola dos horas antes a temperatura ambiente.

CANTIDADES PARA COCINAR

Esta tabla muestra cómo conseguir la cantidad requerida de quinua cocinada en algunas de las siguientes recetas. Como regla general:

Una parte de quinua más dos partes de agua/caldo = tres partes de quinua cocinada

Nota: Una taza de quinua cruda = 190 g; una taza de quinua cocinada = 165 g

Quinua cruda	Agua	Cantidad de quinua cocinada
40 g / ¼ taza	125 ml / ½ taza	125 g / ¾ taza
50 g / 1/3 taza	160 ml / ⅔ taza	190 g / una taza
75 g / ½ taza	250 ml / una taza	275 g / 1 y ½ tazas
95 g / ⅔ taza	320 ml / 1 y ⅓ taza	375 g / 2 tazas
115 g / ¾ taza	360 ml / 1 y ½ tazas	440 g / 2 y ¼ tazas
165 g / una taza	500 ml / 2 tazas	560 g / 3 tazas

SIENDO CREATIVO CON QUINUA

Tras la lectura de este libro, verá que la quinua puede ser incorporada a platos clásicos de todo el mundo, añadiendo color, textura y sabor que dan a las recetas una nueva dimensión. Tanto el grano como la harina son útiles como agentes espesantes en guisos, sopas, panes, platos al horno y postres. El mayor contenido graso de la harina se presta al horneado, con un resultado crujiente y un atractivo color dorado.

Los copos de quinua tienen propiedades similares a los copos de avena, hinchándose y soltando fibra soluble que le aporta a las gachas su textura, formando desayunos saciantes (muesli, granola y barritas) y ayudando a mantener más bajos los niveles de colesterol en sangre. La quinua inflada hace más sabroso el sabor de los cereales y puede añadirse a las barritas. También he descubierto «crispies» de quinua (similares a los copos de maíz) que saben deliciosos cubiertos de chocolate y mezclados con albaricoques troceados, formando bizcochos crujientes que no es necesario hornear.

Las siguientes directrices básicas le darán ideas para incorporar la quinua en sus recetas habituales favoritas y para beneficiarse de la impresionante «energía» nutritiva de este producto.

Derecha arriba. Cuando se cocinan con leche, los copos de quinua producen unas gachas cremosas muy apetecibles.

Derecha abajo. La harina de quinua es un buen sustitutivo libre de gluten para la harina de trigo en las recetas de repostería.

PAN

Puede sustituir la harina de fuerza normal por harina de quinua en sus recetas preferidas, pero recuerde que al no tener gluten, la fuerza de la masa y, por tanto, su capacidad de crecer se verán reducidas. Sustituir solo la mitad de la harina de fuerza y añadir una pizca de vitamina C a la masa ayudará a producir un pan más ligero.

También puede usar tanto harina de quinua como quinua cocinada en la masa de pizza, lo cual es una manera fantástica de disparar el contenido nutritivo de este plato tan habitual y apreciado. Sustituya hasta la mitad de la harina de trigo normal por harina de quinua, pero recuerde que el contenido de gluten de la masa será menor, así que logrará un resultado más fino y crujiente en lugar de una base gruesa y tosca. Si utiliza quinua cocinada, añada media taza por cada dos de harina, añadiendo más agua según sea necesario para hacer una masa flexible y dúctil.

PASTELERÍA

Las grasas esenciales de la quinua aseguran una repostería de textura deliciosa y ligera, de modo que puede ser utilizada para hacer quiches y pasteles dulces y sabrosos.

Para los pasteles, use la proporción habitual de la mitad de grasa que harina, pero sustituya la mitad de la harina por harina de quinua, o copos de la misma para lograr una textura más tosca. Debido a su mayor contenido

EXTREMO IZQUIERDA. Los copos de quinua (en primer plano) se producen de forma similar a la avena (al fondo), y pueden usarse en conjunto o como sustitutos en recetas como la granola, las barritas y los crujientes.

IZQUIERDA ARRIBA. Este bizcocho está realizado con harina de quinua.

IZQUIERDA ABAJO. La quinua roja, negra y perlada es magnífica en ensaladas. Pueden comprarse ya mezcladas bajo el nombre de quinua tricolor.

en grasa y su carencia de gluten, el resultado final será crujiente, pero esta pastelería puede resultar muy «frágil» y desmoronadiza como para trabajar cómodamente, así que hay que dejarla reposar en la nevera durante al menos 30 minutos. Manéjela y amásela con rapidez, evitando manipularla en exceso y usando mucha harina.

HORNEADO

Las recetas de este libro usan harina de quinua, copos, quinua cocinada y quinua inflada en platos horneados, postres y alimentos de desayuno, aportando riqueza al sabor, textura y contenido nutricional.

Sustituya el mismo peso de copos de avena por copos de quinua o harina de quinua en lugar de harina normal en sus recetas favoritas, pero añada un poco más de extracto de vainilla u otros saborizantes para asegurarse de que el sabor de la quinua no predomine. Use copos de quinua cuando no pueda conseguir quinua inflada, pero recuerde doblar el peso, debido a la baja densidad de esta última.

TORTITAS

Encontrará dos recetas de tortitas en los siguientes capítulos hechas a base de harina de quinua, pero también puede reemplazar una parte o toda la harina normal por harina de quinua en sus recetas de tortitas, logrando comidas familiares muy nutritivas. Siempre es mejor hacer la pasta de las tortitas media hora antes de lo necesario (si es posible) para permitir que el almidón de la harina se hinche.

ARRIBA. La harina de quinua, usada en pastelería, da un resultado muy crujiente, y es perfecta para hacer galletas.

DERECHA ARRIBA. La quinua es un sustituto nutricionalmente hablando para el arroz en risottos, pilaffs y paellas.

DERECHA CENTRO. A pesar de que es necesario mezclarla con harina de fuerza, la harina de quinua también puede utilizarse para hacer pan, y si se añade a una receta integral y con semillas, formará una hogaza muy nutritiva.

DERECHA ABAJO. La quinua roja y negra tiene un color fuerte y una textura de nuez que la hace perfecta para usar en ensaladas.

SALSAS

Haga una salsa besamel usando harina de quinua para reemplazar a la harina de trigo normal. Las proporciones habituales son ¼ de taza de harina y ¼ de taza de mantequilla por cada dos tazas de leche, pero puede aumentar o reducir según sea necesario. Aporte sabor con bastante sal y pimienta, y añada mostaza, queso rallado o especias al gusto.

PLATOS CON ARROZ

La quinua puede usarse para sustituir cualquier tipo de arroz para preparar risottos, paellas o pilaffs deliciosos, con un toque crujiente y una textura especial.

Para adaptar su receta de arroz preferida a la quinua, úsela de la misma manera que utilizaría el arroz basmati o arborio, ablandándola primero en mantequilla o aceite y añadiendo después la cantidad adecuada de caldo, junto a la carne, pescado o verduras de su elección. Hierva a fuego lento, sin tapa, entre 8-10 minutos, hasta que todo el líquido haya sido absorbido. No es necesario remover constantemente el risotto cuando se hace con quinua. La quinua roja y negra da siempre una textura más firme, mientras que la perlada es más suave y mullida.

ENSALADAS

Usar quinua de diferentes colores dará como resultado ensaladas atractivas, que pueden complementarse añadiendo una colección de diferentes granos, verduras, frutas, frutos secos y semillas.

Incorpore brotes de quinua cultivados en casa para añadir crujiente y textura. Use aliños de sabores fuertes, como aceite virgen, vinagre, hierbas frescas, mostaza y salsa de soja.

RELLENOS

La quinua cocinada (de cualquier color) sustituye bien al pan rallado en los rellenos y absorberá los ricos sabores de cualquier carne o pescado con los que sea combinada. Mezclada con hierbas, especias y otros saborizantes, también puede usarse para rellenar hortalizas, como calabaza y calabacines, o también champiñones.

RECUBRIMIENTOS CRUJIENTES

La quinua perlada, cocinada e hinchada, es una alternativa efectiva y cómoda al pan rallado para aquellos que buscan una alternativa sin gluten, y puede utilizarse para hacer pescado frito, pollo o verduras crujientes. Lave y seque los ingredientes y espolvoréelos con harina. Después sumérjalos en huevo batido y a continuación cúbralos de quinua perlada cocinada y sazonada. Fríalo con poco aceite, a temperatura media-alta, usando aceite de canola hasta dorarlo, dándole la vuelta a la mitad. Unos 150 g (una taza) de quinua cocinada servirán para recubrir tres o cuatro filetes de pescado medianos, o dos pechugas de pollo cortadas en *goujons.* Puede darle sabor a la quinua cocinada con copos de chile, hierbas y especias de su elección. Servir con salsas o mayonesa y mucha ensalada.

TEMPURA

Haga una pasta usando una taza de quinua, un huevo batido y una taza de soda helada para platos salados. Vierta la quinua en un cuenco, haga un hueco en el centro, eche el huevo batido y mezcle para conseguir una pasta suave que se mantendrá crujiente después de freír. También se puede mezclar en una batidora.

Fría los ingredientes recubiertos durante unos minutos, hasta que se doren, escúrralos en papel de cocina y sirva.

CULTIVARLA EN LA COCINA

Los brotes de quinua son divertidos y rápidos de cultivar, y a menudo producen dos brotes por cada semilla. El germinado dispara el contenido natural de enzimas y vitaminas de la semilla, y algunos piensan que en crudo ofrece beneficios únicos para la salud, aunque esto no ha sido demostrado.

1. Enjuague bien la quinua en un tamiz, frotando con sus dedos para eliminar la capa natural de saponinas. Cubra con 2 cm de agua y déjelo en remojo durante una hora.
2. Elimine concienzudamente el exceso de agua con un colador o tamiz, agitando muy bien. Deberían quedar húmedos, no mojados ni empapados.
3. Coloque los brotes secos en una capa fina sobre un plato poco profundo.
4. Cubra con un trapo húmedo y sitúelo en un lugar fresco y oscuro durante 10-12 horas.
5. Repita el proceso de enjuagado, esparcimiento y recubrimiento dos o tres veces. Los brotes crecen hasta un tamaño aproximado de tres veces el volumen original de la quinua y necesitan un día o dos para alcanzar un tamaño razonable.
6. Una vez que terminan de germinar, guárdelos hasta un máximo de tres días en la nevera, dentro de un recipiente hermético. No los use si se marchitan o adquieren un tono marrón.

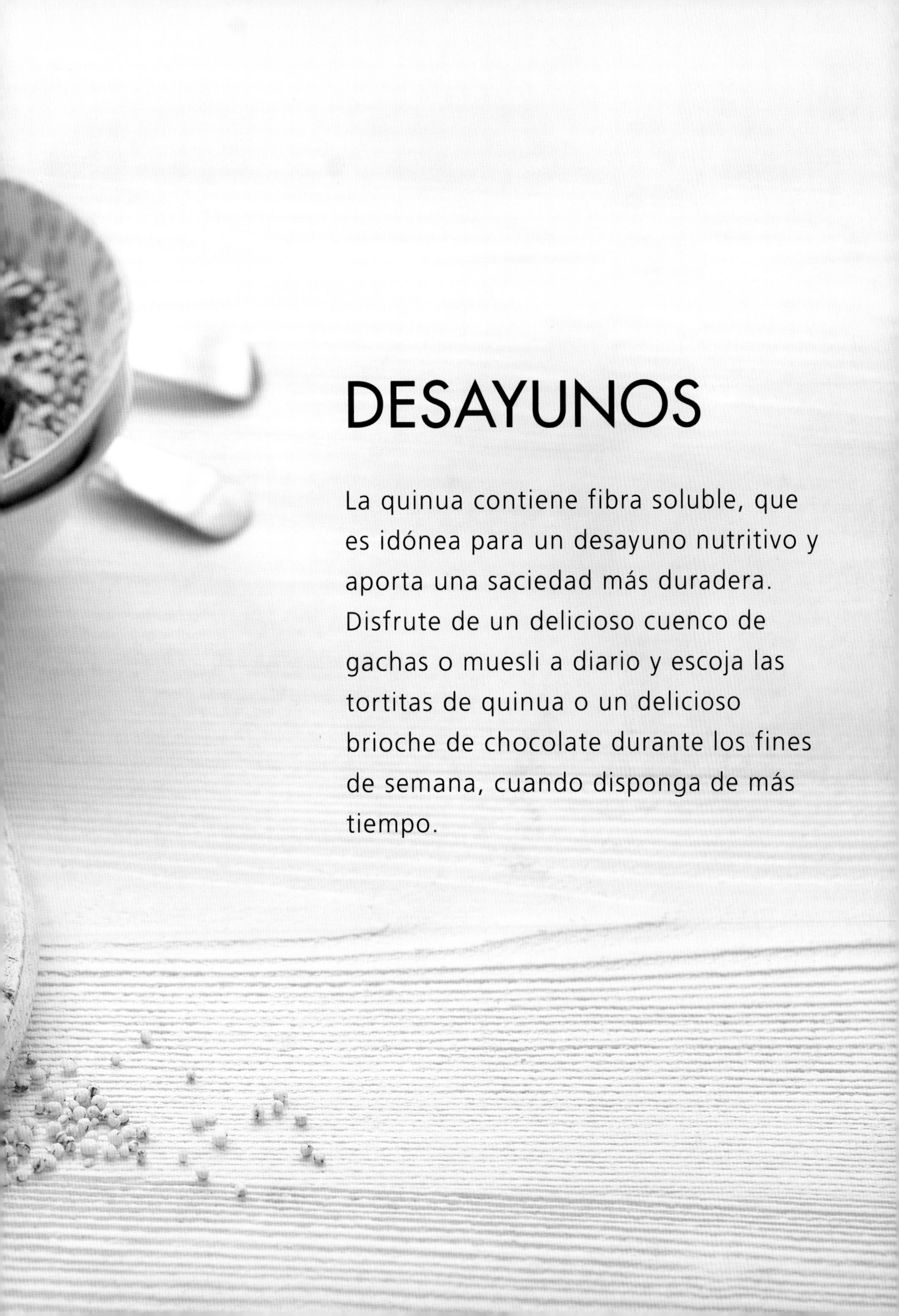

DESAYUNOS

La quinua contiene fibra soluble, que es idónea para un desayuno nutritivo y aporta una saciedad más duradera. Disfrute de un delicioso cuenco de gachas o muesli a diario y escoja las tortitas de quinua o un delicioso brioche de chocolate durante los fines de semana, cuando disponga de más tiempo.

La granada, de color rosa brillante (rica en fibra, potasio y vitamina C), tiene un aspecto espectacular mezclada con estas gachas de color caramelo. El sirope dorado, un subproducto derivado del proceso de obtención del azúcar, aporta valiosos micronutrientes, como calcio y hierro, pero puede ser necesario endulzarlo con una pizca de miel. Por comodidad, es posible comprar los granos de la granada ya preparados.

GACHAS DE GRANADA Y MELAZA

4 RACIONES
125 g/¾ de taza de quinua
250 ml/una taza de agua hirviendo
300 ml/una taza y ¼ de leche
60 ml/4 cucharadas de sirope dorado
Miel clara, para dar sabor
150 g de granos de granada

1. Ponga la quinua en un tamiz (colador) y enjuáguela con agua fría.

2. Vierta la quinua limpia en una cazuela y añada agua hirviendo y leche. Si lo prefiere, puede usar agua fría en vez de hirviendo, pero la quinua tardará más en cocinarse.

3. Hierva a fuego lento la quinua durante 15 minutos, hasta que esté blanda. Añada la melaza o sirope y endulce con miel según sea necesario.

4. Retire la cazuela del fuego y vierta la granada. Sirva con un poco de miel.

Información nutricional: Sin gluten. Energía 238 kcal/1.002 kJ; proteína 7 g; hidratos de carbono 44 g, de los cuales azúcares 24 g; grasas 5 g, de las cuales saturadas 2 g; colesterol 10 mg; calcio 144 mg; fibra 2 g; sodio 44 mg.

Mezcladas con copos de quinua y de avena, estas gachas son rápidas y fáciles de preparar. Añadir un surtido de frutos del bosque congelados aporta una gran cantidad de vitamina C y antioxidantes, y son una opción perfecta para los meses de invierno, cuando los frutos frescos, si están disponibles, son más caros. La mayor parte de los celíacos pueden comer avena, así que estas gachas también son útiles para ellos.

GACHAS DE BAYAS RÁPIDAS DE HACER

4-6 RACIONES

600 ml/2 y ½ tazas de leche
115 g/una taza de copos de quinua
50 g/½ taza de copos de avena
115 g/una taza de frutos del bosque congelados
Azúcar moreno claro o sirope dorado

1. Ponga la leche y los copos de quinua en una cazuela, lleve al punto de ebullición y cocine a fuego lento durante 5 minutos, hasta que los copos estén blandos.

2. Añada los copos de avena y los frutos del bosque a la cazuela y cocine a fuego lento durante 3-5 minutos más, hasta que los frutos estén calientes y se espesen las gachas.

3. Servir inmediatamente, acompañándolas de azúcar moreno claro o sirope dorado.

Información nutricional: Sin gluten, si usa avena libre de él. Energía 273 kcal/1.145 kJ; proteína 10 g; hidratos de carbono 40 g, de los cuales azúcares 15 g; grasas 8 g, de las cuales saturadas 4 g; colesterol 19 mg; calcio 209 mg; fibra 4 g; sodio 70 mg.

La granola casera es más sabrosa que los cereales comerciales, y puede elaborarla según sus preferencias, con diferentes cantidades de fruta deshidratada, semillas y frutos secos. La quinua se tuesta bien en un horno convencional, ayudando a conferirle a esta granola un toque crujiente muy agradable que se complementa con una compota de frutas. Doble las cantidades para poder almacenarla en un recipiente hermético.

GRANOLA CON COMPOTA DE DÁTILES E HIGOS

6 RACIONES

175 g/una taza de quinua perlada
50 g/¼ de taza de mantequilla
60 ml/5 cucharas de miel clara
5 ml/una cucharadita de nuez moscada molida
175 g/una taza y ½ de copos de quinua
30 ml/2 cucharadas de semillas de lino
45 ml/3 cucharadas de coco deshidratado (seco, rallado y sin azúcar)
30 ml/2 cucharadas de pistacho picado
50 mg de trozos de plátano seco, cortado en tacos
Leche o yogur para servir

Para la compota de dátiles e higos

150 g de higos secos, picados
75 g de dátiles secos, picados
250 ml/una taza de zumo de naranja
2 clavos de olor

1. Seque la quinua enjuagada con papel de cocina o un trapo limpio. Caliente el horno a 180 °C. Forre una bandeja con papel de horno y esparza la quinua de forma uniforme por toda la superficie. Déjela en el horno durante 25-35 minutos, hasta que alcance un tono dorado-marrón.

2. Mientras tanto, ponga la mantequilla, la miel y la nuez moscada juntas en una cazuela y caliente lentamente hasta que se derrita la mantequilla.

3. Ponga los copos de quinua, las semillas de lino, el coco, los pistachos y los trozos de plátano en un cuenco grande y remuévalos. Añada la mezcla de mantequilla fundida y use el papel de horno para verter la quinua tostada, mezclando con una cuchara de madera.

4. Ponga el papel de horno de nuevo en la bandeja y esparza la granola uniformemente por encima. Hornee durante unos 20 minutos hasta que esté dorada-marrón, sacándola del horno antes de que el plátano se vuelva demasiado crujiente. Deje que se enfríe totalmente.

5. Para la compota, en una cazuela a fuego bajo, haga la fruta seca, el zumo de naranja y los clavos durante 8-10 minutos a fuego lento, hasta conseguir una salsa almibarada y espesa. Remueva a menudo para evitar que se pegue. Retire los clavos. Aparte la compota y deje que se temple. Luego enfríela.

6. Sirva la granola en un cuenco, con una cucharada de compota por encima, añadiendo leche o yogur según prefiera. La granola se mantiene fresca hasta una semana en un recipiente hermético, y la compota aguanta en buenas condiciones una semana, guardada en la nevera.

CONSEJO DE COCINA

Ajuste el tiempo de horneado según cómo de crujiente y dorada prefiera que sea la granola, y preste atención para evitar que la fruta seca se queme.

Información nutricional: Sin gluten. Energía 468 kcal/1.962 kJ; proteína 11 g; hidratos de carbono 68 g, de los cuales azúcares 37 g; grasas 18 g, de las cuales saturadas 8 g; colesterol 16 mg; calcio 127 mg; fibra 8 g; sodio 101 mg.

VARIACIONES

Use otras frutas, como mango seco, piña seca o pasas grandes.

Lo bueno de hacer su propio muesli es que puede decidir qué echarle y ajustar la cantidad para disponer de desayunos nutritivos durante toda la semana. Esta versión es sin gluten, pero puede cambiar los copos de maíz por copos de trigo o cebada si lo prefiere.

MUESLI DE QUINUA CON CEREALES VARIADOS

4 RACIONES

50 g/⅓ de taza de avellanas
50 g/¼ de taza de pipas de calabaza
50 g/½ taza de copos de quinua
25 g/una taza de quinua inflada
50 g/una taza de cereales de arroz crujientes
25 g/⅔ de taza de copos de maíz
25 g/⅙ de taza de arándanos secos
25 g/⅙ de taza de arándanos rojos secos
Yogur natural y miel, o leche y fruta fresca (opcional)

1. A temperatura media, tueste las avellanas y las pipas de calabaza en el horno durante unos minutos, hasta que las semillas empiecen a inflarse y las avellanas se vuelvan marrones. Vigílelas atentamente, pues es fácil quemarlas.

2. Machaque las avellanas tostadas con la parte final de un rodillo. Apártelas y deje que se enfríen completamente.

3. Mezcle las avellanas y pipas ya frías con el resto de ingredientes en un cuenco grande y guárdelos en un recipiente hermético. Sírvalo en un cuenco, con yogur y miel, o leche y fruta fresca.

CONSEJO DE COCINA

La quinua inflada son semillas de quinua hinchadas, y puede encontrarse en herbolarios tradicionales y en comercios en Internet.

VARIACIONES

Cambie los tipos de fruta y los frutos secos si quiere. Las nueces pecanas y las almendras en láminas combinan bien con las semillas de girasol.

Información nutricional: Sin gluten. Energía 333 kcal/1.398 kJ; proteína 8 g; Hidratos de carbono 43 g, de los cuales azúcares 11 g; grasas 15 g, de las cuales saturadas 2 g; colesterol 0 mg; calcio 94 mg; fibra 0 g; sodio 150 mg.

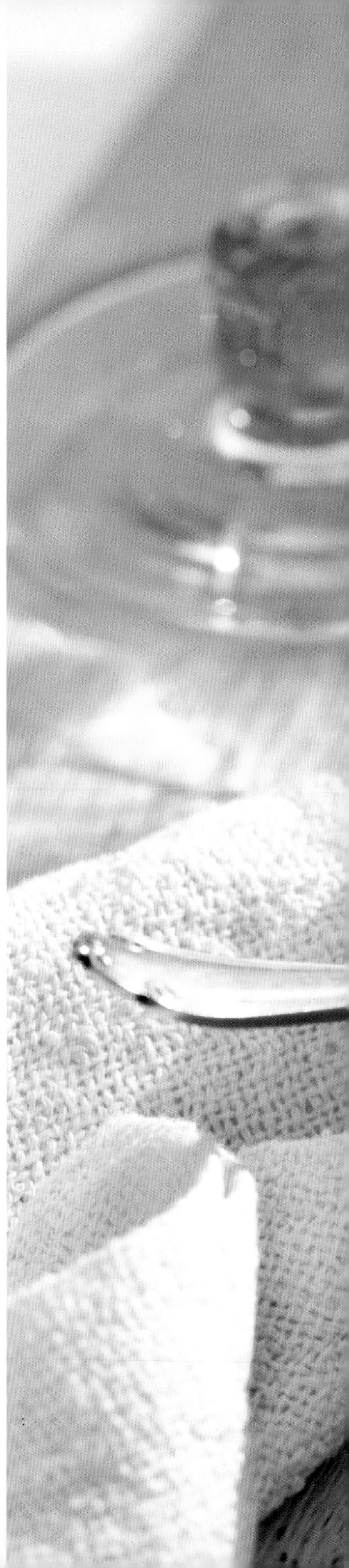

De origen italiano, la *frittata* es un plato versátil, y una versión más sustanciosa de la tortilla al estilo francés, con la adición de carne, pescado y verduras. La quinua puede reemplazar la patata, usada tradicionalmente en este plato, y con una cantidad suficiente de berro y salmón, constituye un plato único para un almuerzo muy saludable. Las sobras pueden comerse frías y usarse como comida para llevar.

«FRITTATA» DE SALMÓN Y QUINUA

4 RACIONES

15 ml/una cucharada de aceite de oliva
Una cebolla mediana, en cuadraditos
Un pimiento rojo o naranja, troceado
2 dientes de ajo, machacados
5 ml/una cucharadita de semillas de hinojo (opcional)
75 g de berro o rúcula, troceados
30 ml/2 cucharadas de crema fresca
6 huevos, batidos
Un puñado de finas hierbas picadas
100 g de salmón ahumado en tiras
115 g/⅔ de taza de quinua roja cocinada
50 g/½ taza de queso fuerte rallado, como emmental o parmesano
Sal y pimienta negra
Zumo de fruta fresco, para servir

1. Caliente el aceite en una sartén pesada o cacerola y añada la cebolla y el pimiento troceado. Saltee durante 8-10 minutos hasta que la cebolla esté blanda, y después añada el ajo y las semillas de hinojo, y cocine la mezcla durante un par de minutos.

2. Añada el berro o la rúcula y cocínelos durante varios minutos más, hasta que las hojas se hayan marchitado.

3. Mientras tanto, mezcle la crema fresca, los huevos batidos y las hierbas en un cuenco pequeño.

4. Añada el salmón y la quinua a la cazuela, mezcle bien y a continuación distribúyalos uniformemente por toda la superficie de la cazuela.

5. Vierta la mezcla del huevo batido en la cazuela, baje el fuego y cocine durante 5-8 minutos hasta que la *frittata* esté prácticamente hecha (puede comprobarlo presionándola suavemente con un tenedor).

6. Espolvoree el queso rallado sobre la parte superior de la *frittata* y póngala después en el horno, asegurándose de que el asa no está expuesta al calor, durante 3-5 minutos, hasta que la *frittata* esté hinchada y de color dorado. Sírvala caliente o a temperatura ambiente, con un vaso de zumo de fruta si le gusta.

Información nutricional: Sin gluten. Energía 310 kcal/1.289 kJ; proteína 22 g; hidratos de carbono 13 g, de los cuales azúcares 6 g; grasas 19 g, de los cuales saturadas 7 g; colesterol 237 mg; calcio 228 mg; fibra 2 g; sodio 664 mg.

Los panes rústicos y con fundamento son un desayuno excelente, y esta hogaza, que lleva quinua cocinada para añadirle sustento adicional, es perfecta recién sacada del horno para un almuerzo tardío, o como tostada para el desayuno de un día de diario. Sírvalo en rebanadas con mantequilla, o como tostada con huevos revueltos, para crear un desayuno que le mantendrá con energía durante las mañanas más atareadas.

PAN DE QUESO, CEBOLLA Y BACÓN

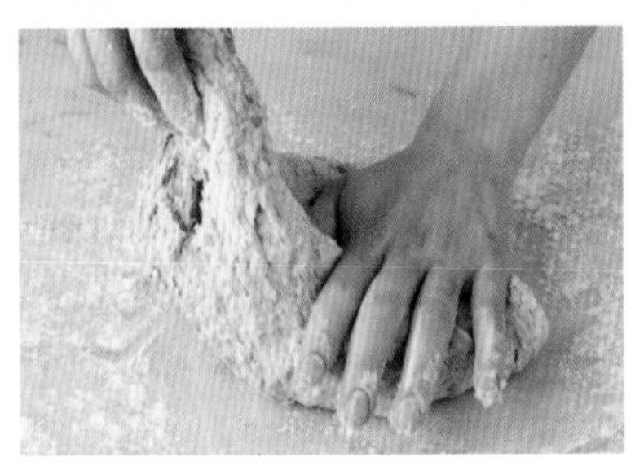

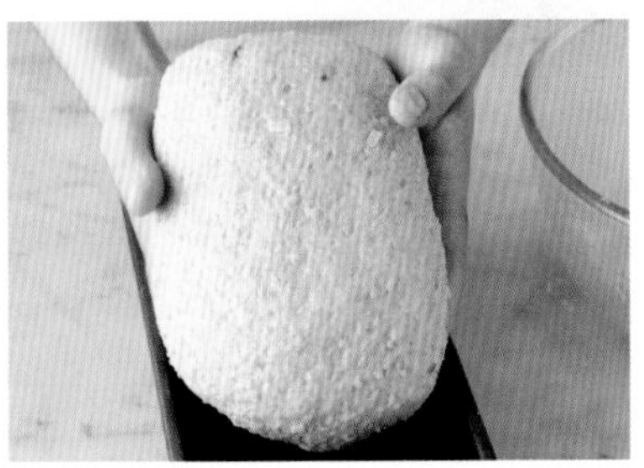

8 RACIONES

225 g/2 tazas de harina de trigo blanca de fuerza
175 g/una taza y ½ de harina integral de fuerza
300 g/2 tazas de quinua perlada cocinada
10 ml/2 cucharaditas de levadura seca fácil de mezclar (de acción rápida)
7'5 ml/una cucharadita y ½ de sal
60 ml/4 cucharadas de azúcar
300 ml/una taza y ¼ de agua tibia
15 ml/una cucharada de aceite vegetal
Una cebolla pequeña, en daditos
4 lonchas de bacón
50 g/½ taza de cheddar rallado
Leche, para glasear
Mantequilla para servir

1. Vierta las harinas en un cuenco grande, añada la quinua cocinada, levadura, sal y azúcar y remueva hasta que estén bien mezcladas. Haga un hueco en el centro y vaya mezclando gradualmente con suficiente agua tibia, hasta formar una masa suave.

2. Amase durante 6-8 minutos, sobre una tabla enharinada, sujetando la masa con una mano y estirándola con la palma de la otra. Gire la masa y repita la acción, para estirar la masa y activar la levadura. También puede amasar con un gancho para masa en un mezclador eléctrico durante 3-4 minutos.

3. Cubra el cuenco con un paño húmedo y déjelo en un lugar cálido durante una o una hora y media, hasta que prácticamente haya doblado su tamaño.

4. En una sartén, caliente el aceite y añada la cebolla. Fríala hasta que esté blanda pero translúcida. Añada dos de las lonchas de bacón a la sartén y fría durante 3-5 minutos más, hasta que estén crujientes. Corte las lonchas de bacón frito en trozos pequeños con tijeras de cocina. Resérvelas.

5. Cuando la masa crezca, aplaste y amásela a mano o con un gancho de masa eléctrico durante unos minutos. Añada el bacón, la cebolla y tres cuartas partes del queso rallado, y pliegue y amase para incorporarlos a la masa.

6. Caliente el horno a 200 °C. Ponga aceite en un molde de pan de 450 g, o en una bandeja de horno grande si no dispone de uno. Dé la forma adecuada a la masa para que encaje bien en el recipiente, o la forma de pan *bloomer* si usa bandeja. Déjelo reposar durante otros 20-30 minutos en un lugar cálido.

7. Impregne de leche a la parte superior de la hogaza con un pincel de cocina y hornee durante 15 minutos. Sáquela del horno un momento y póngale por encima el queso restante y los trozos de bacón. Hornee durante 15-20 minutos más, hasta que la masa suba y esté dorada, y sáquela del molde. Debería sonar a hueco si la golpea en la base. Vuelva a meterla en el horno durante unos minutos si es necesario.

8. Ponga la hogaza en una rejilla y deje que se enfríe. Sírvala cortada en tostadas y con mantequilla.

Información nutricional: Energía 314 kcal/1.325 kJ; proteína 12 g; hidratos de carbono 51 g, de los cuales azúcares 10 g; grasas 8 g, de las cuales saturadas 3 g; colesterol 14 mg; calcio 103 mg; fibra 3 g; sodio 585 mg.

Para hacer esta hogaza rústica de desayuno, se utiliza una mezcla de harinas de espelta y quinua. La espelta es un grano antiguo (data de hace más de 5.000 años), que tiene un contenido de gluten menor que la harina de trigo. Las semillas de la mezcla aportan hidratos de carbono de liberación lenta, formando un desayuno saciante y sano. Sírvalo con mantequilla y su mermelada o confitura preferida.

PAN DE ESPELTA CON FRUTOS SECOS Y SEMILLAS

8 RACIONES

225 g/2 tazas de harina de quinua
225 g/2 tazas de harina de espelta
10 ml/2 cucharaditas de levadura seca fácil de mezclar (de acción rápida)
10 ml/2 cucharaditas de sal
60 ml/4 cucharadas de azúcar
25 g/¼ de taza de mezcla de semillas (pipas de girasol y de calabaza y semillas de lino y amapola), y 15 ml/una cucharada extra para poner por encima
25g/¼ de taza de frutos secos (como nueces y avellanas) picados
300 ml/una taza y ¼ de agua tibia
Aceite, para engrasar
Leche, para glasear

1. Eche las harinas en un cuenco grande, añada la levadura seca, la sal, el azúcar, la mezcla de semillas y frutos secos, y remueva para mezclarlos. Haga un hueco en el centro. Vierta el agua tibia en el hueco y remueva, mezclando la harina de forma gradual.

2. Ponga la mezcla en una tabla enharinada, y amase a mano durante 6-8 minutos, o con una mezcladora eléctrica con un gancho para masa.

3. Para amasar, sujete la masa con una mano y estírela con la palma de la otra, doblándola para estirarla de nuevo. Gire la masa 90° y repita el proceso durante el tiempo necesario.

4. Coloque la masa en un cuenco limpio, cúbrala con un trapo húmedo y déjela en un lugar cálido durante una o una hora y media, hasta que la masa haya doblado su tamaño.

5. Aplaste la masa y amásela durante un par de minutos. Cúbrala de nuevo con el trapo húmedo y déjela reposar durante otros 30 minutos, hasta que doble su tamaño. Precaliente el horno a 220 °C.

6. Ponga aceite en un molde de pan de 450 g, o en una bandeja de horno. Dé la forma adecuada a la masa para que encaje bien en el recipiente, y si usa una bandeja de horno, hágale tres divisiones y tréncelo para obtener una hogaza más atractiva.

7. Haga marcas con un cuchillo afilado en la parte superior de la masa, longitudinalmente y cruzadas, para ayudar a que se levante. Use una brocha para untar con leche la parte superior y aproveche para espolvorear las semillas por encima.

8. Hornee durante 35-40 minutos, hasta que la hogaza esté levantada y dorada. Debe sonar a hueco si la golpea en la base (tendrá que sacarla del molde para comprobarlo).

9. Sáquela del molde o la bandeja y déjela enfriar sobre una rejilla durante al menos 20 minutos. Este pan es delicioso servido fresco o tostado, untado con mantequilla y mermelada y acompañado de una taza de café o té.

CONSEJO DE COCINA

Puede utilizar una máquina de hacer pan para esta hogaza, eligiendo un programa básico para harina integral. Añada los frutos secos y semillas a la mitad del ciclo, o siga las instrucciones del fabricante.

Información nutricional: Energía 277 kcal/1.173 kJ; proteína 21 g; hidratos de carbono 42 g, de los cuales azúcares 8 g; grasas 5 g, de las cuales saturadas 2 g; colesterol 0 mg; calcio 82 mg; fibra 3 g; sodio 3 mg.

La textura suave y agradable de los brioches se debe a la adición de huevo y leche en la masa. En esta versión, una parte de la típica harina de pan rica en gluten es sustituida por un poco de harina de quinua sin gluten, que aporta fibra, hierro y calcio. Rico y con mucha sustancia, el brioche no debería necesitar mantequilla ni mermelada, y es delicioso acompañado de chocolate a la taza caliente.

BRIOCHE DE CHOCOLATE Y ALBARICOQUE

Información nutricional: Energía 335 kcal/1.410 kJ; proteína 9 g; hidratos de carbono 46 g, de los cuales azúcares 18 g; grasas 14 g, de los cuales saturadas 8 g; colesterol 82 mg; calcio 105 mg; fibra 2 g; sodio 471 mg.

4-6 RACIONES

- 115 g/una taza de harina de fuerza blanca
- 115 g/una taza de harina de quinua
- 50 g/½ taza de cacao en polvo
- 10 ml/2 cucharaditas de levadura rápida fácil de mezclar
- 60 ml/4 cucharadas de azúcar moreno claro y suave
- 5 ml/una cucharadita de sal
- 50 g/¼ de taza de mantequilla, fundida
- 3 huevos, batidos
- 45 ml/3 cucharadas de leche
- 45 ml/3 cucharadas de agua caliente
- 5 ml/una cucharadita de extracto de vainilla
- 50 g de chocolate (un poco dulce), cortado en trozos
- 50 g/¼ de taza de albaricoques secos, picados finamente
- 30 ml/2 cucharadas de leche y 15 ml/una cucharada de azúcar moreno claro, para poner por encima

1. Ponga todos los ingredientes, excepto el chocolate y los albaricoques, en un cuenco grande o en un mezclador de alimentos si usa un gancho para masa, y mézclelos para crear una masa suave.

2. Traspáselos a una bandeja enharinada y amase a mano durante 10 minutos, o use un gancho para masa en un mezclador durante unos 5 minutos, hasta que la masa sea regular y elástica.

3. Déjela en un cuenco cubierto con un paño húmedo en un lugar cálido durante una hora y media para que crezca, aunque no doble su tamaño.

4. Aplaste la masa y estírela hasta formar más o menos un rectángulo. Esparza los trozos de chocolate y albaricoque por la parte superior y doble los bordes para envolverlos. Vuelva a doblar y amase de nuevo hasta que el chocolate y los albaricoques estén repartidos equitativamente por toda la masa.

5. Vuelva a moldear la masa en dos bolas manejables y luego dé la forma deseada. Puede dividirlas en 12 rollos de brioche más pequeños, trenzarlos o darles una forma redonda más tradicional. Déjelos reposar otros 30 minutos hasta que crezcan de nuevo. Precaliente el horno a 190 °C.

6. Cuando estén listos, coloque las masas con forma en una bandeja de horno engrasada, póngales la leche por encima con un pincel de cocina y espolvoréelos con azúcar moreno claro.

7. Colóquelos en el centro del horno y espere hasta que la parte superior esté crujiente y suenen a hueco cuando los golpee por debajo. El tiempo dependerá del tamaño de las hogazas, siendo de 30 minutos para las grandes y de solo 10-15 minutos para las pequeñas.

CONSEJO DE COCINA

Amasar bien y dejar reposar en un lugar cálido ayudará a que esta hogaza con poco gluten se estire y crezca. Si dispone de poco tiempo, puede omitir la segunda fase de reposo del tercer paso: la hogaza simplemente tendrá una textura más densa.

La combinación de azúcar y canela es perfecta para el desayuno, especialmente con una taza de café aromático. Preparar pan fresco es una buena forma de hacer que los niños se impliquen en el proceso de amasado y moldeado. Puede preparar estos panecillos la noche anterior, guardando la masa cruda y ya con la forma en la nevera durante la noche para hornearla a la mañana siguiente.

PANECILLOS DE DESAYUNO DE AVENA Y CANELA

12 UNIDADES

350 g/3 tazas de harina blanca de fuerza
115 g/una taza de copos de quinua
50 g/una taza de copos de avena
10 ml/2 cucharaditas de levadura rápida fácil de mezclar en polvo
7'5 ml/una cucharadita y ½ de sal
30 ml/2 cucharadas de azúcar moreno
10 ml/2 cucharaditas de canela en polvo
175 ml/¾ de taza de agua hirviendo
175 ml/¾ de taza de leche
Un poco de leche y 10 ml/2 cucharaditas de azúcar moreno claro y suave, para poner por encima
Mantequilla y miel clara o fruta fresca, para servir

1. Vierta la harina en un cuenco grande y después eche los copos de quinua y de avena y la levadura seca. Haga un hueco en el centro. Mezcle el agua hirviendo con la leche para formar un líquido tibio, y a continuación añádalo a los ingredientes secos, removiendo para formar una masa flexible.

2. Pase la masa a una tabla enharinada y amase entre 5-8 minutos sujetando la masa con una mano y estirándola con la palma de la otra. Dé la vuelta a la masa y repita esta acción hasta que esté suave y elástica. Como alternativa, puede amasar con un gancho de masa en una mezcladora eléctrica durante entre 3-4 minutos.

3. Coloque la masa en un cuenco engrasado con aceite, cubra con un paño húmedo y déjelo en un lugar cálido durante una hora y media.

4. Aplaste la masa y amase durante otros 5 minutos, a mano o con un gancho de masa eléctrico.

5. Divida la masa en 12 panecillos, trenzándolos o dándoles la forma deseada. Colóquelos en bandejas de horno engrasadas.

6. Glasee con leche los panecillos, espolvoréelos con azúcar moreno claro y déjelos reposar en un lugar cálido durante otros 20 minutos. Precaliente el horno a 220 °C. Si prefiere cocinarlos a la mañana siguiente para que estén frescos, meta las bandejas en la nevera en este punto.

7. Hornee durante 12 o 15 minutos, hasta que los panecillos crezcan, adquieran un tono dorado y suenen a hueco cuando los golpee. Deje que se enfríen en una rejilla durante 15 minutos. Están deliciosos servidos calientes con miel clara y una fuente de fruta fresca. Si los cocina a la mañana siguiente, sáquelos de la nevera y déjelos a temperatura ambiente mientras se calienta el horno.

CONSEJO DE COCINA

Puede usar una máquina de hacer pan en el modo básico para harinas integrales para hacer esta receta.

VARIACIÓN

Añada un plátano en puré y 30 ml/2 cucharadas de nueces trituradas con el líquido para hacer panecillos de plátano y nueces.

Información nutricional por cada dos panecillos: Energía 330 kcal/1.397 kJ; proteína 12 g; hidratos de carbono 65 g, de los cuales azúcares 8 g; grasas 4 g, de las cuales saturadas 1 g; colesterol 4 mg; calcio 162 mg; fibra 2 g; sodio 462 mg.

La harina de quinua ocupa el lugar de la harina normal para formar tortitas más saludables. Puede servir estos deliciosos crêpes con una gran variedad de ingredientes: azúcar y limón es lo más tradicional, pero también puede usar mermelada, miel o chocolate untado para que la gente elija lo que prefiera. En esta receta, están rellenos de fresas y yogur cremoso para empezar bien el día.

CRÊPES DE QUINUA

8 RACIONES

115 g/una taza de harina de quinua

Un huevo grande

350 ml/una taza y ½ de leche

30 ml/2 cucharadas de aceite de vegetal, para freír

Fresas cortadas y yogur griego, para servir

1. Vierta la harina en un cuenco grande y haga un hueco en el centro. Bata el huevo y la leche juntos en una jarra. Eche la mezcla de huevo en el hueco de la harina, y use una batidora para incorporar lentamente la mezcla de harina, poco a poco, para formar una pasta homogénea.

2. Como alternativa, puede poner todos los ingredientes en un cuenco o batidora y mezclar con una batidora de mano o un robot de cocina hasta que quede homogéneo.

3. Caliente un poco de aceite en una sartén evitando que llegue a humear. Añada suficiente pasta para cubrir la base de la sartén, esparciéndola rápidamente para asegurarse de que se reparte de forma equitativa.

4. Cocine a fuego medio hasta que la tortita esté cuajada y dorada por debajo, y déle la vuelta con una espátula. Cocine el otro lado durante un par de minutos, hasta que esté de color dorado-marrón.

5. Añada un poco más de aceite a la sartén y repita hasta usar toda la pasta, manteniendo las tortitas calientes en el horno.

6. Sirva las tortitas calientes, rellenas con fresas y yogur, o elija el relleno que prefiera.

VARIANTE

Como opción sabrosa y contundente, rellene las tortitas cocinadas con tiras de bacón tostado, rodajas de tomate a la parrilla y pimienta negra.

Información nutricional por cada dos tortitas: Sin gluten. Energía 226 kcal/946 kJ; proteína 7 g; hidratos de carbono 23 g, de los cuales azúcares 4 g; grasas 13 g, de las cuales saturadas 5 g; colesterol 56 mg; calcio 128 mg; fibra 1 g; sodio 52 mg.

Hacer tortitas es una forma agradable de empezar el fin de semana si toda la familia se involucra en su preparación. Aquellos que las prueben no notarán ninguna diferencia entre estas y las tortitas normales, ignorando el impulso nutricional que les aporta la quinua, con su energía de liberación lenta y sus micronutrientes. El sirope de arce es el complemento perfecto.

TORTITAS DE LIMÓN Y PASAS

16 RACIONES

Un huevo
120 ml/½ taza de yogur natural
120 ml/½ taza de leche
115 g/una taza de harina de quinua
15 ml/una cucharada de levadura en polvo
50 g/¼ de taza de azúcar
Ralladura de un limón
Aceite vegetal, para freír
25 g/⅕ de taza de pasas
Mantequilla y sirope de arce, para servir

1. Bata el huevo y remuévalo junto al yogur y la leche en una jarra hasta formar una mezcla uniforme. Ponga la harina y la levadura en un cuenco grande y haga un hueco en el centro.

2. Vierta la mezcla de huevo en el hueco y use una batidora para mezclar poco a poco con la harina, hasta formar una pasta suave. Añada el azúcar y la ralladura de limón. Deje reposar durante 20 minutos.

3. Cuando quiera prepararlas, vierta un poco de aceite en una sartén de freír o de tortitas y use papel de cocina para distribuirlo uniformemente por la base.

4. Ponga la sartén a fuego medio, y cuando esté caliente vierta suficiente pasta como para formar dos o tres tortitas de entre 6 cm de diámetro y 0'5 cm de grosor.

5. Ponga unas cuantas pasas por encima de las tortitas y cocine durante un par de minutos cada lado.

6. Cuando las tortitas estén hinchadas y con burbujas y doradas por ambos lados, retírelas de la sartén, póngales mantequilla por encima y manténgalas calientes mientras prepara el resto de la pasta. Sirva las tortitas calientes con más mantequilla si lo desea, y sirope de arce por encima.

VARIANTES

- Use arándanos en lugar de pasas si lo prefiere.
- Pruebe a servir las tortitas con bacón crujiente si desea hacer el típico desayuno tradicional americano.

Información nutricional: Sin gluten. Energía 258 kcal/1.088 kJ; proteína 6 g; hidratos de carbono 42 g, de los cuales azúcares 20 g; grasas 9 g, de las cuales saturadas 3 g; colesterol 24 mg; calcio 99 mg; fibra 2 g; sodio 45 mg.

Desayunar significa que no tendrá la tentación de comprar aperitivos altos en calorías y grasas a media mañana. Si siente que en días de diario no tiene tiempo para desayunar antes de salir corriendo de casa, llévese un batido y una barrita de desayuno consigo. Juntos forman un alimento sano, de índice glucémico bajo, alto en calcio y rico en proteína: perfecto para empezar el día.

BARRITAS DE DESAYUNO CON BATIDO DE QUINUA

BARRITAS DE MANZANA Y JENGIBRE

8 RACIONES

150 ml/⅔ de taza de miel clara
40 g/3 cucharadas de mantequilla
45 ml/3 cucharadas de azúcar moreno
2 manzanas pequeñas o una grande, peladas y ralladas
30 ml/2 cucharadas de quinua hinchadas
30 ml/2 cucharadas de semillas de lino
30 ml/2 cucharadas de avellanas troceadas
2'5 ml/½ cucharadita de clavos molidos
5 ml/una cucharadita de mezcla de especias para pastel de manzana
10 ml/2 cucharaditas de jengibre en polvo

1. Precaliente el horno a 180 °C. Engrase un molde de 18 cm cuadrados, y recúbralo con papel de horno. En una sartén grande a fuego lento, caliente la miel, la mantequilla y el azúcar, removiendo hasta que el azúcar se disuelva y forme un sirope espeso.

2. Retire la sartén del fuego y vierta los demás ingredientes, hasta que estén mezclados de forma homogénea. Vierta la mezcla sobre el molde preparado y distribúyala uniformemente hasta los bordes con la parte de atrás de un tenedor.

3. Hornee durante 30-35 minutos, hasta que los bordes estén crujientes. Divida la masa en ocho barritas con un cuchillo, mientras aún esté caliente, y déjelas en el molde hasta que se enfríen. Envuelva cada una en plástico y guárdelas en un recipiente hermético.

CONSEJO DE COCINA
La quinua inflada se vende en herbolarios tradicionales o en Internet. Si no puede conseguirla, use el doble de peso en copos de quinua.

Información nutricional: Sin gluten. Energía 174 kcal/731 kJ; proteína 2 g; hidratos de carbono 26 g, de los cuales azúcares 22 g; grasas 8 g, de las cuales saturadas 2 g; colesterol 10 mg; calcio 16 mg; fibra 1 g; sodio 35 mg.

BATIDO DE QUINUA

UNA RACIÓN

Un plátano pequeño, pelado y en rodajas
200 ml/una taza de leche
115 g/ taza de yogur griego
30 ml/2 cucharadas de copos de quinua
5 ml/una cucharadita de miel
Una pizca de nuez moscada y canela

1. Mezcle todos los ingredientes en una batidora o robot de cocina hasta hacer una mezcla homogénea. Vierta en un vaso y beba inmediatamente, o póngalo en un recipiente portátil y llévelo consigo.

Información nutricional: Sin gluten. Energía 491 kcal/2.050 kJ; proteína 18 g; hidratos de carbono 56 g, de los cuales azúcares 37 g; grasas 21 g, de las cuales saturadas 13 g; colesterol 47 mg; calcio 419 mg; fibra 5 g; sodio 170 mg.

ENTRANTES Y APERITIVOS

La quinua constituye un ingrediente excelente para ensaladas, pues combina bien con una amplia gama de sabores e ingredientes, y cuando se mezcla con verduras crudas forma platos llenos de nutrientes. La quinua también puede añadir cuerpo a sopas, y sirve para hacer falafel, repostería de todo tipo y salsas para aperitivos sabrosos.

Esta deliciosa sopa picante rebosa nutrientes: antioxidantes especialmente saludables para el corazón, como licopeno y beta caroteno, y vitamina C, junto a las lentejas y quinua de índice glucémico bajo. La harissa es una pasta africana picante y con gran sabor hecha a base de pimiento rojo, chile, ajo, pimentón, cilantro, comino y pétalos de rosa. Tiene un sabor muy fuerte, así que use menos cantidad si lo desea.

SOPA DE TOMATE FRESCO Y QUINUA NEGRA

Información nutricional: Sin gluten, si usa un caldo libre de él. Energía 257 kcal/1.084 kJ; proteína 11 g; hidratos de carbono 41 g, de los cuales azúcares 12 g; grasas 7 g, de las cuales saturadas 1 g; colesterol 0 mg; calcio 150 mg; fibra 6 g; sodio 583 mg.

4 RACIONES

30 ml/2 cucharadas de aceite vegetal
Una cebolla mediana, en trozos
3 dientes de ajo machacados
10 ml/2 cucharaditas de harissa
12/675 g tomates cherry en trozos
175 g/una taza de quinua negra
175 g/¾ de taza de lenteja roja
30 ml/2 cucharadas de tomate seco, en trozos
1'75 litros/7 tazas y ½ de caldo de verduras
Sal y pimienta negra molida

Para servir

5 ml/una cucharadita de harissa
30 ml/2 cucharadas de yogur natural
Un tomate seco, cortado en trozos pequeños
Pan crujiente caliente

1. Caliente el aceite en una sartén grande y a continuación añada la cebolla y el ajo picados. Cocine durante 2-3 minutos a fuego medio, removiendo hasta formar una mezcla uniforme.

2. Vierta la harissa sobre la mezcla, después añada los tomates troceados y cocine durante otros 5 minutos a fuego lento, para permitir que se liberen todos los sabores aromáticos de la harissa e impregnen las verduras.

3. Añada la quinua, las lentejas, los tomates secos y el caldo, y hierva. Baje el fuego, tape y cocine a fuego lento durante 12-14 minutos, hasta que la quinua esté blanda al tacto y las lentejas tiernas. Sazone al gusto con sal y pimienta y añada un poco más de harissa si lo desea.

4. En un cuenco pequeño, vierta juntos, pero no completamente mezclados, la harissa y el yogur para que cada comensal se los sirva al gusto.

5. Ponga la sopa en cuatro cuencos calientes y eche por encima una cucharada del yogur de harissa.

6. Ponga también algunos trozos de tomate seco y sirva con pan crujiente caliente.

CONSEJO DE COCINA

Añada más agua a la sopa al final del tercer paso, y mezcle muy bien con una batidora si prefiere una sopa más fina y suave.

La quinua roja añade un color brillante y una textura especial a esta sopa rica y contundente. La mayoría de los ingredientes de esta receta son muy comunes, lo cual significa que puede hacerla cuando necesite preparar una comida rápida, sustituyendo la col rizada fresca por verduras congeladas o envasadas si es preciso. Esta sopa combina muy bien con tiras de bacón caliente, queso y pan de cebolla.

SOPA TOSCANA DE ALUBIAS

4 RACIONES

15 ml/una cucharada de aceite vegetal
Una cebolla mediana, cortada en cubitos
2 dientes de ajo pelados y machacados
75 g de col rizada, cortada finamente
115 g/⅔ de taza de quinua roja, lavada
250 g/una taza y ½ de alubias rojas
400 g de tomate triturado en lata
1'2 litros/5 tazas de caldo de verduras
10 ml/2 cucharaditas de mezcla de hierbas secas
30 ml/2 cucharadas de puré de tomate
30 ml/2 cucharadas de vinagre balsámico
Un puñado de hojas de albahaca fresca, cortadas
Sal y pimienta negra molida
Crema fresca y pan, para servir

1. Caliente el aceite en una sartén grande, añada la cebolla, el ajo y la col y fría a fuego medio durante 4 minutos, hasta que la cebolla esté blandita.

2. Añada la quinua roja, las alubias, el tomate, el caldo, las hierbas secas, el puré de tomate y el vinagre balsámico y lleve al punto de ebullición.

3. Reduzca el calor y cocine a fuego lento durante unos 15 minutos, hasta que la quinua esté tierna al morderla (vaya comprobándolo).

4. Retire del fuego y añada la albahaca, reservando algunas hojas para la guarnición, y sazone al gusto.

5. Divida en cuatro cuencos y póngales por encima una cucharada de crema fresca y un par de hojas de albahaca. Sirva siempre con pan fresco y caliente.

CONSEJO DE COCINA

Si no la sirve inmediatamente, es posible que necesite añadir otra taza de caldo o agua cuando vuelva a calentar la sopa.

VARIANTES

- Cambie la col fresca por el mismo peso de espinacas o guisantes congelados, si no los puede conseguir frescos.
- Añada 10 ml/2 cucharaditas de pasta de harissa para obtener una sopa de sabor picante.

Información nutricional: Sin gluten, si utiliza un caldo libre de él. Energía 257 kcal/1.084 kJ; proteína 11 g; hidratos de carbono 41 g, de los cuales azúcares 12 g; grasas 7 g, de las cuales saturadas 1 g; colesterol 0 mg; calcio 150 mg; fibra 6 g; sodio 583 mg.

Esta sopa nutritiva le hará entrar en calor y tentará su paladar en días frescos. La combinación de limones frescos y en conserva, usados a menudo en la cocina marroquí, componen un caldo intenso y picante que estimula los sentidos.
La quinua negra complementa los colores brillantes de la zanahoria y el perejil, aunque la quinua perlada funcionará igual de bien.

SOPA DE POLLO AL LIMÓN

4 RACIONES
30 ml/2 cucharadas de aceite de oliva
Una cebolla mediana, cortada finamente
115 g/una taza y ½ de champiñones troceados
2 zanahorias, peladas y cortadas en cubitos
150 g/una taza escasa de quinua negra
Un litro/4 tazas de caldo de pollo
2 filetes de pechuga de pollo con piel, unos 250 g de peso en total, cortados en tiras de 1 cm
Zumo y ralladura de un limón
Un limón confitado cortado finamente
Un buen puñado de perejil picado
Sal y pimienta negra molida
Pan crujiente, para servir

1. Caliente el aceite en una sartén profunda, añada la cebolla y ablándela durante un par de minutos, removiendo todo el tiempo.

2. Suba el fuego, añada los champiñones y fría otros 2-3 minutos, hasta que se libere el líquido y se evapore. Añada las zanahorias troceadas, la quinua y el caldo a la sartén y lleve al punto de ebullición.

3. Añada las tiras de pollo, el zumo de limón y la ralladura a la sartén. Lleve de nuevo al punto de ebullición y a continuación tape la sartén, reduzca el calor y cocine a fuego lento durante unos 12-14 minutos, hasta que la quinua esté cocinada pero aún al dente.

4. Aparte del calor, vierta el perejil picado y sazone al gusto con sal y pimienta.

5. Vierta la sopa en cuencos calientes, y sirva con pan.

CONSEJO DE COCINA
Una vez cocinada, la quinua negra tiene una textura ligeramente más firme que la quinua perlada.

VARIACIONES
Sustituya el pollo por una lata de judías borlotti como alternativa vegetariana, o vierta algunos cubitos de tofu justo antes de servir.

Información nutricional: Sin gluten, si utiliza un caldo libre de él. Energía 313 kcal/1.307 kJ; proteína 26 g; hidratos de carbono 27 g, de los cuales azúcares 5 g; grasas 11 g, de las cuales saturadas 2 g; colesterol 58 mg; calcio 79 mg; fibra 4 g; sodio 56 mg.

La quinua cocinada combina fantásticamente con esta salsa para mojar de sabores fuertes al estilo español, la cual con su gran cantidad de tomate y la maravillosa albahaca fresca traerá recuerdos felices del sol veraniego. Rápida y fácil de hacer, esta salsa es ideal servida con *pastry twists,* hechos con harina de quinua, como aperitivos. Es el complemento perfecto debido a la cuidada mezcla de sabores.

«TWISTS» DE QUINUA CON MANCHEGO

4 RACIONES

Para los *twists* con semillas de amapola

- 175 g/una taza y ½ de harina de quinua
- 50 g/½ taza de harina normal
- 60 ml/4 cucharadas de semillas de amapola
- 10 ml/2 cucharaditas de hierbas secas mezcladas
- 2'5 ml/½ cucharadita de sal
- 75 ml/⅓ de taza de aceite de oliva
- 150 ml/⅔ de taza de agua fría
- Pimienta negra molida, al gusto
- Leche, para glasear

Para la salsa

- 75 g/1/2 taza escasa de queso crema
- 30 ml/2 cucharadas de queso manchego rallado
- 30 ml/2 cucharadas de tomates secos, cortados
- 45 ml/3 cucharadas de salsa de tomate espesa
- 75 mg/½ taza de quinua cocinada
- Un buen puñado de hojas frescas de tomillo cortadas, reservando algunas como aderezo
- Sal y pimienta negra molida
- 15 ml/una cucharada de aceite de oliva virgen, si es necesario

1. Precaliente el horno a 190 °C. Cubra una bandeja con papel de horno.

2. Para hacer los *twists*, mezcle ambas harinas en un cuenco grande. Vierta también las semillas de amapola, las hierbas y los condimentos. Vierta el aceite y después el agua fría poco a poco para formar una pasta blanda y flexible.

3. Déle forma de disco, envuélvala en plástico y déjela enfriar durante 30 minutos en el frigorífico.

4. Haga la salsa con un robot de cocina o batidora. Procese el queso crema, el queso manchego, los tomates secos, la salsa de tomate, la quinua cocinada y el tomillo picado hasta crear una mezcla uniforme. Sazone al gusto y mezcle el aceite poco a poco para suavizar la salsa, si es necesario. Póngala en un cuenco, cúbrala y déjela enfriar.

5. En una bandeja enharinada, dé a la pasta una forma rectangular de aproximadamente 6 x 12 cm y 1 cm de altura.

6. Divida la masa en 12 tiras iguales, y luego doble dos veces cada una antes de traspasarlas a la bandeja de horno preparada.

7. Con un pincel de cocina, impregne de leche cada tira y hornee 15 o 18 minutos, hasta que tengan un tono dorado-marrón y estén crujientes. Póngalas en una rejilla para enfriar.

8. Aderece la salsa con hojas de tomillo y una buena cantidad de pimienta negra, y sírvala con los *twists* de amapola.

VARIANTE

Para los *twists* puede usar harina integral en lugar de harina blanca y añadir 30 ml/2 cucharadas de aceitunas picadas a la mezcla de la masa.

Información nutricional de los *twists* (por cada tres *twists*): Energía 364 kcal/1.524 kJ; proteína 9 g; hidratos de carbono 41 g, de los cuales azúcares 0 g; grasas 28 g, de las cuales saturadas 6 g; colesterol 0 mg; calcio 231 mg; fibra 2 g; sodio 308 mg.

Información nutricional de la salsa: Sin gluten. Energía 185 kcal/767 kJ; proteína 4 g; hidratos de carbono 7 g, de los cuales azúcares 3 g; grasas 16 g, de las cuales saturadas 8 g; colesterol 24 mg; calcio 99 mg; fibra 1 g; sodio 142 mg.

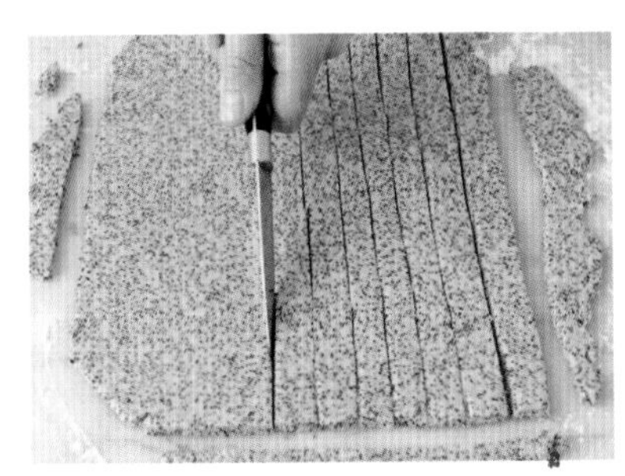

Esta salsa deliciosa y cremosa, servida con pajitas de queso parmesano crujientes, es el inicio perfecto para un cóctel o una barbacoa de verano. El edamame son semillas de soja sin madurar y normalmente se venden congeladas. Son una fuente abundante de isoflavonas, y en combinación con la quinua crean un aperitivo lleno de proteína que está realmente delicioso.

SALSA DE EDAMAME CON PAJITAS DE PARMESANO

4 RACIONES

Para las pajitas de parmesano

75 g/⅔ de taza de harina integral
75 g/¾ de taza de copos de quinua

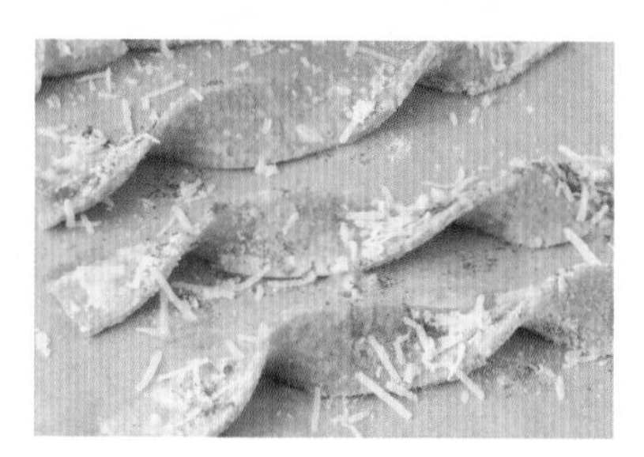

75 g/una taza de parmesano rallado, y una cantidad extra para poner por encima
75 g/6 cucharadas de mantequilla
Agua fría, para mezclar
Leche, para impregnar
Pimentón, para condimentar

Para la salsa de edamame y cebollino

75 g/½ taza de edamame congelado, cocinado
50 g/⅓ de taza de quinua perlada, cocinada
60 ml/4 cucharadas de crema agria
60 ml/4 cucharadas de mayonesa
30 ml/2 cucharadas de cebollinos frescos, picados, y una cantidad extra para aderezar
15 ml/una cucharada de cilantro fresco troceado
Sal y pimienta negra en polvo
Pimentón, para sazonar

1. Para las pajitas de parmesano, coloque la harina y los copos de quinua en un cuenco grande y mézclelos con el parmesano rallado.

2. Vierta la mantequilla ablandada y, usando sus dedos, frote hasta que la mezcla parezca pan rallado fino. Añada suficiente agua como para que todo quede bien mezclado y convertido en una masa firme. Envuelva la masa en plástico y deje enfriar en la nevera durante 30 minutos. Precaliente el horno a 180 °C.

3. Cubra una bandeja con papel de horno. En una tabla enharinada, dé a la pasta una forma rectangular y córtela con forma de pajita, de aproximadamente 2 x 5 cm.

4. Con un pincel de cocina aplique leche sobre las pajitas, y después póngales el queso parmesano rallado por encima, con un poco de pimentón.

5. Presione el queso cuidadosamente con sus dedos para ayudar a que se pegue a la masa, y después traspase cuidadosamente las pajitas a la bandeja de horno. Hornee durante 10-12 minutos, hasta que estén doradas y crujientes. Sáquelas y póngalas en una rejilla para que se enfríen.

6. Mientras tanto, prepare la salsa mezclando todos los ingredientes con un robot de cocina, hasta que formen una mezcla suave y cremosa.

7. Póngala en un cuenco, échele cebollinos y un poco de pimentón y sirva junto a las pajitas de parmesano calientes.

Información nutricional de las pajitas, por cada cuatro unidades: Energía 344 kcal/1.433 kJ; proteína 12 g; hidratos de carbono 24 g, de los cuales azúcares 1 g; grasas 23 g, de las cuales saturadas 14 g; colesterol 57 mg; calcio 225 mg; fibra 2 g; sodio 260 mg.

Información nutricional de la salsa: Sin gluten, si usa mayonesa libre de él. Energía 169 kcal/700 kJ; proteína 4 g; hidratos de carbono 4 g, de los cuales azúcares 1 g; grasas 15 g, de las cuales saturadas 4 g; colesterol 20 mg; calcio 37 mg; fibra 1 g; sodio 72 mg.

El falafel es originario de Egipto y se convirtió en comida callejera en Oriente Medio, servido con ensalada y tahini en pan de pita, o como parte de un mezze. Normalmente se hace a base de habas o garbanzos, pero en este caso la quinua es una adición sabrosa y efectiva. La ensalada *(coleslaw)* crujiente y el aderezo a base de hierbas complementa el falafel picante a la perfección.

FALAFEL DE QUINUA CON ENSALADA DE LOMBARDA

4 RACIONES

Para el falafel

250 g/una taza de garbanzos (pesados en crudo)
225 g/una taza y ½ de quinua perlada cocinada
25 g/¼ de taza de harina de quinua
Cebolla mediana, cortada en cubitos
Un buen puñado de cilantro fresco, cortado finamente
4 dientes de ajo, machacados
30 ml/2 cucharadas de crema fresca
10 ml/2 cucharaditas de comino molido
10 ml/2 cucharaditas de cilantro molido
15 ml/3 cucharaditas de salsa Tabasco
45 ml/3 cucharadas de harina de quinua, para dar forma
45 ml/3 cucharadas de aceite de colza
Sal y pimienta negra en polvo
Cuatro panes de pitta calientes, cortados hasta el borde, para servir

Para la salsa

150 g/⅔ escasos de taza de yogur
5 ml/una cucharadita de cilantro molido
Un diente de ajo picado
5 ml/una cucharadita de puré de tomate
5 ml/una cucharadita de cilantro fresco picado finamente

Para la ensalada *(coleslaw)* de lombarda

50 g/⅓ de taza de lombarda cortada finamente
50 g/⅓ de taza de zanahoria pelada y rallada
2 cebolletas cortadas finamente
60 ml/4 cucharadas de crema fresca

1. Prepare la mezcla de falafel. Coloque los garbanzos, la quinua perlada cocinada, la harina de quinua, la cebolla, el cilantro, el ajo, la crema fresca, el comino, el cilantro molido y la salsa de Tabasco en un robot de cocina.

2. Sazone bien con sal y pimienta y bata gradualmente hasta que la combinación esté bien mezclada, pero no líquida.

3. Si lo prepara a mano, use un cuenco grande y rompa los garbanzos usando el extremo plano de un rodillo, para después mezclarlos con el resto de ingredientes.

4. Usando sus manos, divida la mezcla en 16 bolas, usando la harina de quinua para evitar que se peguen. Si lo desea, puede guardarlas en la nevera para cocinarlas en otro momento.

5. Prepare la salsa de yogur mezclando todos los ingredientes en un cuenco pequeño. Sazone al gusto y deje enfriar.

6. Prepare el *coleslaw* (ensalada) de lombarda mezclando todos los ingredientes en un cuenco, sazone al gusto y deje enfriar.

7. Caliente el aceite de colza en una sartén grande y fría ligeramente los falafels entre 5 y 8 minutos, girándolos frecuentemente. Fríalos en hornadas si la sartén no es suficientemente grande para hacerlos todos al mismo tiempo. Escurra el falafel sobre papel de cocina.

8. Servir caliente, o a temperatura ambiente, metidos en pan de pitta relleno de ensalada de lombarda y recubierto de cilantro y salsa de yogur.

VARIANTE

El falafel se puede servir frío, untado en hummus, como aperitivo.

Información nutricional: Sin gluten, si no se usa pan de pitta. Energía 621 kcal/2.609 kJ; proteína 20 g; hidratos de carbono 84 g, de los cuales azúcares 11 g; grasas 26 g, de las cuales saturadas 8 g; colesterol 25 mg; calcio 280 mg; fibra 6 g; sodio 596 mg.

Estas empanadillas pequeñas y crujientes son un aperitivo genial, servidas con gelatina de menta. También son ideales para llevar en tarteras. La quinua roja añade color al relleno, pero la quinua perlada funcionará perfectamente también. Si dispone de poco tiempo, puede comprar pasta filo en cualquier tienda en lugar de hacerla, aunque de esta manera no disfrutará del doble aporte de la quinua.

EMPANADILLAS DE QUINUA CON CALABACÍN, QUESO FETA Y MENTA

4 RACIONES

Para la masa

75 g/6 cucharadas de mantequilla, ablandada
275 g/2 tazas y ½ de harina de quinua
10 ml/2 cucharaditas de mostaza de Dijon
175 ml/¾ de taza de agua fría
Leche, para glasear
Gelatina de menta, para servir

Para el relleno

Un calabacín mediano
Una manzana especial para asar, de unos 115 g
275 g/una taza y ⅔ de quinua roja
300 g de queso feta, desmenuzado
15 ml/una cucharada de menta fresca, despedazada
Pimienta molida

1. Prepare la masa mezclando la mantequilla con la harina en un cuenco grande, hasta que la mezcla parezca pan rallado.

2. Añada la mostaza al cuenco y después gradualmente la cantidad necesaria de agua fría para que la masa quede uniforme y suave. Envuélvala en plástico y deje enfriar en la nevera durante 30 minutos.

3. Ralle el calabacín directamente sobre un trapo o papel de cocina. Enrolle el trapo o papel y escurra sobre el fregadero o un cuenco para eliminar el exceso de agua.

4. Ponga el calabacín rallado y escurrido en un cuenco grande y añada la manzana rallada. Vierta también la quinua, el queso feta desmenuzado, la menta y la pimienta negra. Precaliente el horno a 190 °C.

5. Divida la masa ya fría en dos partes, aplánelas y corte cada una en cuatro círculos de unos 13 cm de diámetro.

6. Reparta el relleno entre los ocho círculos de masa, colocándolo en una de las mitades de cada uno.

7. Doble la otra mitad para cubrir el relleno, y presione los bordes para darles forma de empanadilla. Rice los bordes como toque decorativo y haga una pequeña hendidura en la parte superior.

8. Coloque las empanadillas en bandejas de horno (no hace falta aceite) e impregne con un poco de leche la parte superior. Hornee durante 20-25 minutos, hasta que la masa esté dorada y crujiente. Sírvalas calientes con gelatina de menta.

CONSEJO DE COCINA

Haga empanadillas pequeñas, si lo desea, como aperitivos para servir junto a bebidas. Reduzca ligeramente el tiempo de horneado, hasta unos 15 minutos, dependiendo de lo pequeñas que sean. Vigílelas y sáquelas del horno cuando estén doradas.

Información nutricional: Sin gluten. Energía 618 kcal/2.585 kJ; proteína 22 g; hidratos de carbono 63 g, de los cuales azúcares 5 g; grasas 33 g, de las cuales saturadas 22 g; colesterol 85 mg, calcio 339 mg; fibra 6 g; sodio 1.134 mg.

La quinua germinada, como cualquier otra semilla germinada, es muy nutritiva, pues nuestro cuerpo recibe los beneficios de los nuevos tallos, pequeños y crudos, que no han perdido ninguna de sus propiedades por culpa del cocinado o el almacenaje. Esta ensalada es sabrosa, crujiente, auténtica y colorida, y contiene muchos antioxidantes, además de ser un placer para el cuerpo y los sentidos.

ENSALADA DE QUINUA GERMINADA

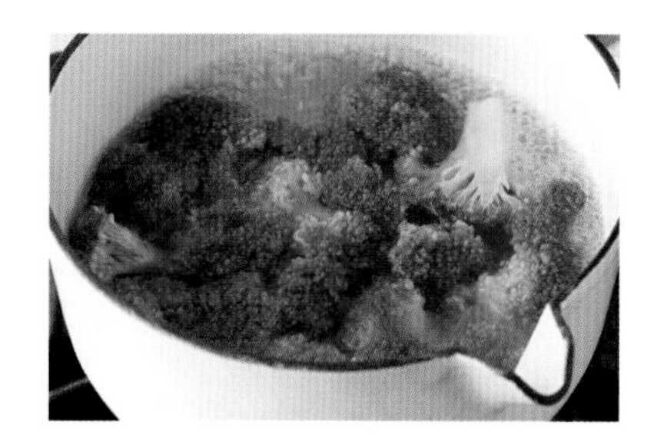

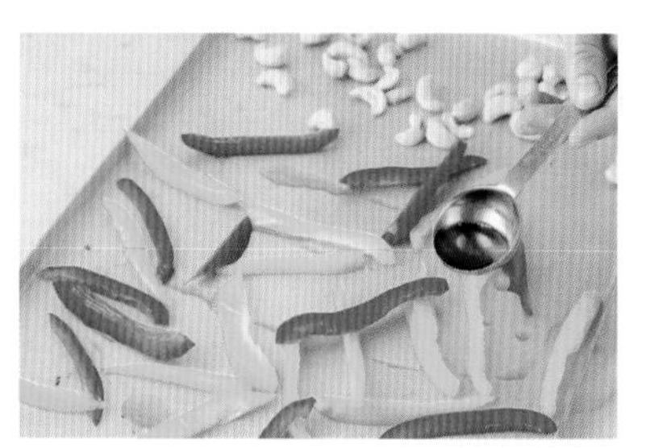

Información nutricional: Sin gluten, si se usa salsa de soja libre de él. Energía 203 kcal/848 kJ; proteína 7 g; hidratos de carbono 21 g, de los cuales azúcares 7 g; grasas 11 g, de las cuales saturadas 2 g; colesterol 0 mg; calcio 41 mg; fibra 2 g; sodio 269 mg.

4 RACIONES

75 g de brócoli, cortando las cabezuelas a un tamaño apropiado para que quepan en la boca
1/2 pimiento amarillo y ½ rojo, cortados en tiras finas
50 g/½ taza de anacardos
15 ml/una cucharada de aceite de sésamo
Una taza y ½ de brotes de quinua (a partir de 75 g/½ taza de quinua, ver más abajo)
115 g/½ taza de brotes de soja (que pueden comerse crudos)
50 g/½ taza de zanahoria rallada

PARA LA SALSA ORIENTAL

15 ml/una cucharada de aceite de sésamo tostado
15 ml/una cucharada de mirin
15 ml/una cucharada de salsa de soja
Pimienta negra molida

1. En una cazuela pequeña con agua hirviendo, cueza al vapor las cabezuelas de brócoli durante 2-3 minutos hasta que se ablanden un poco.

2. Mezcle los pimientos, los frutos secos y el aceite de sésamo en una bandeja de horno. Póngalos a fuego medio durante 5-6 minutos, hasta que los frutos secos estén marrones y los pimientos blandos. Machaque los anacardos con el extremo de un rodillo.

3. Ponga los brotes de quinua y soja y la zanahoria rallada en un cuenco mediano, y después añada el brócoli al vapor, los anacardos y los pimientos.

4. Haga la salsa batiendo todos los ingredientes.

5. Para servir, vierta la salsa sobre la ensalada, remueva y divida en cuatro platos. Sírvala como ensalada para acompañar carnes o pescados al horno, o como almuerzo ligero con gambas o tofu marinado.

VARIANTES

- En vez de aceite de sésamo tostado puede usarse de sésamo normal u otros aceites vegetales.
- Sirva como sofrito. Antes de añadir la salsa en el cuarto paso, sofría los ingredientes en 15 ml/una cucharada de aceite vegetal, vierta por encima la marinada oriental y sirva.

CÓMO PRODUCIR BROTES DE QUINUA

La quinua germinada crece hasta un volumen aproximadamente tres veces mayor que la semilla original, y necesita uno o dos días para alcanzar un tamaño razonable. Aclare la quinua en un colador, usando sus dedos para eliminar la capa natural de saponinas.

Cúbrala en 2 cm de agua y déjela durante una hora. Elimine a fondo el exceso de agua sacudiendo bien, y ponga los brotes formando una capa fina en un plato llano. Cúbralos con un trapo y déjelos en un lugar oscuro y fresco durante 10-12 horas. Repita el proceso dos o tres veces para obtener brotes más largos. Una vez preparados, los brotes se conservarán bien en la nevera hasta tres días, aunque los más largos se estropearán antes.

La irresistible mezcla de setas shiitake y hongos secos incluidos en esta ensalada aporta un sabor rico y casi cárnico que potencia considerablemente el sabor neutro que posee la quinua. El resultado es una ensalada contundente con colores llamativos, un sabor evidente a sésamo y un perfil nutricional muy favorable que contiene vitaminas, antioxidantes, hierro y calcio.

ENSALADA DE SHIITAKE Y SÉSAMO

4 RACIONES

12 g de hongos secos
175 g/una taza de quinua tricolor
475 ml/2 tazas de agua
15 ml/una cucharada de aceite de sésamo
Un diente de ajo, machacado
Trozo de raíz de jengibre fresca de 2 cm, pelado y picado finamente
Un pimiento rojo y otro naranja, cortados en tiras finas
115 g de setas shiitake, desmenuzadas
30 ml/2 cucharadas de semillas de sésamo
Sal y pimienta negra molida

Para la salsa

5 ml/una cucharadita de aceite de sésamo tostado
15 ml/una cucharada de vinagre de arroz
2'5 ml/½ cucharadita de mostaza de Dijon

Para servir

Una lechuga Little Gem, con las hojas sueltas
1/4 de pepino, cortado en tiras finas

1. Lleve al punto de ebullición los hongos, la quinua y el agua en una cazuela pequeña. Baje el fuego y cocine a fuego lento durante 12-14 minutos. Escurra, eliminando el exceso de agua y deje enfriar.

2. En otra sartén, caliente el aceite de sésamo y añada ajo, jengibre y pimientos, sofriendo hasta que se ablanden.

3. Añada las setas shiitake y cocine durante otros 3-4 minutos, hasta que estén ligeramente doradas.

4. Tueste las semillas de sésamo en una sartén durante 2-3 minutos, hasta que estén ligeramente dorados y desprendan aroma, removiéndolas regularmente para evitar que se lleguen a quemar.

5. En un cuenco grande, junte la quinua cocinada con la mezcla de hongos, pimiento y setas y las semillas tostadas. Deje enfriar.

6. Haga la salsa agitando todos los ingredientes en un recipiente cerrado, o removiendo muy bien en un cuenco pequeño.

7. Vierta la salsa sobre la ensalada cocinada. Sirva en cuencos rodeados con hojas de lechuga acompañadas de palitos de pepino crujiente con un poco de sal.

VARIACIÓN

Para servir la ensalada caliente, añada la salsa a la quinua caliente y verduras tras el tercer paso, y sirva con salchichas, si quiere. Pruebe ambas opciones para saber cuál prefiere.

CONSEJO DE COCINA

La quinua tricolor, que es una mezcla de semillas rojas, negras y blancas, suele estar disponible en tiendas, pero también puede crear su propia mezcla en casa.

Información nutricional: Sin gluten. Energía 287 kcal/1.203 kJ; proteína 10 g; hidratos de carbono 36 g, de los cuales azúcares 8 g; grasas 13 g, de las cuales saturadas 2 g; colesterol 0 mg; calcio 113 mg; fibra 6 g; sodio 51 mg.

Esta es una variante rica en quinua de la clásica ensalada italiana. Los sabores y aromas inconfundibles de los tomates maduros evocan el clima mediterráneo. Los tomates secos recuperan su volumen cuando se ponen a remojo.

ENSALADA DE QUINUA TRICOLOR

4 RACIONES
45 ml/3 cucharadas de piñones
75 g/½ taza de quinua perlada
50 g de tomates secos, rehidratados mediante un par de horas de cocción
25 g de hojas de albahaca frescas
225 g de queso mozzarella fresco, cortado o desmenuzado en trozos pequeños
Unos 20 tomates cherry o tomates ciruela maduros, cortados por la mitad
Sal y pimienta negra molida
Aceite de oliva
Carnes italianas curadas y pan de chapata, para servir

Para la salsa
90 ml/6 cucharadas de vinagre balsámico
45 ml/3 cucharadas de aceite de oliva
2'5 ml/½ cucharadita de mostaza de Dijon
Un diente de ajo, machacado
Sal y pimienta negra molida

1. Fría con una gota de aceite los piñones en una sartén pesada, removiendo todo el tiempo, durante 4-5 minutos, hasta que estén ligeramente dorados. Preste atención y evite que los piñones se quemen. Apártelos y deje que se enfríen.

2. Cocine la quinua en 250 ml/una taza de agua durante 15-17 minutos, hasta que esté tierna pero conserve un toque crujiente. Escúrrala y deje que se enfríe.

3. Escurra los tomates y séquelos con papel de cocina, cortándolos a continuación en tiras finas y largas.

4. Rompa o corte en trozos una cuarta parte de las hojas de albahaca y póngalas en un tarro o cuenco pequeño. Añada todos los ingredientes de la salsa y bata o remueva para mezclarlos.

5. Coloque la quinua fría, los piñones, la mozzarella, los tomates secos y los cherry en un cuenco. Rompa las hojas de albahaca que queden y póngalas en el cuenco. Vierta la salsa y remueva suavemente para mezclarla. Compruebe si está a su gusto, añadiendo más sal y pimienta si es necesario.

6. Sirva junto a un plato de carne fría, acompañada de pan de chapata.

Información nutricional: Sin gluten. Energía 447 kcal/1.864 kJ; proteína 16 g; hidratos de carbono 27 g, de los cuales azúcares 14 g; grasas 31 g, de las cuales saturadas 10 g; colesterol 32 mg; calcio 234 mg; fibra 3 g; sodio 303 mg.

Los granos integrales, como la quinua y el alforfón, se asimilan más despacio que los refinados, de modo que producen una saciedad más duradera. También es posible que ayuden a combatir la diabetes y la obesidad. Son fáciles de preparar y sabrosos en combinación con otros granos, tales como la espelta perlada o el trigo entero. Tostarlos les añade nuevos matices y una mayor profundidad de sabor.

ENSALADA DE GRANOS TOSTADOS, HINOJO Y NARANJA

4 RACIONES

75 g/⅓ de taza de trigo entero
Aceite de oliva
175 ml/¾ de taza de agua hirviendo
75 g/½ taza de espelta perlada
75 g/½ taza de alforfón
115 g/⅔ de taza de quinua roja, lavada
750 ml/3 tazas de caldo de verduras
50 g/½ taza de almendras enteras blanqueadas, cortadas por la mitad
Un bulbo de hinojo, sin las hojas exteriores, cortado finamente
Una naranja, pelada y segmentada, sin albedo
Un buen puñado de perejil, picado finamente
Hojas de lechuga o rúcula, para servir

Para la salsa

60 ml/4 cucharadas de aceite de oliva
30 ml/2 cucharadas de vinagre de sidra
5 ml/una cucharadita de granos de mostaza
Pimienta negra molida

1. Vierta el trigo entero en una sartén pequeña y fría con una gota de aceite durante 4-6 minutos, hasta que esté ligeramente dorado. Añada el agua hirviendo con cuidado, y cocine a fuego lento durante 35-40 minutos, hasta que el trigo esté tierno al morderlo. Escúrralo, eliminando todo el exceso de agua.

2. Mientras tanto, en una sartén grande, fría con una gota de aceite la espelta, el alforfón y la quinua durante 4-6 minutos, removiendo constantemente, hasta que estén ligeramente dorados. Añada el caldo de verduras a la sartén y cocine a fuego lento durante 20-25 minutos, hasta que los granos estén tiernos al morderlos.

3. Mientras, tueste las almendras en el horno a temperatura media durante 6-8 minutos, hasta que estén ligeramente doradas. Vigílelas todo el tiempo, pues es fácil quemarlas.

4. Haga la salsa agitando los ingredientes en un tarro cerrado, o batiéndolos en un cuenco pequeño.

5. Mezcle el trigo cocinado con los demás granos, aún calientes, en un cuenco grande. Añada las almendras tostadas junto al hinojo, la naranja y el perejil. Vierta por encima la salsa y remueva suavemente.

6. Sirva inmediatamente sobre una cama de rúcula o lechuga.

CONSEJO DE COCINA

El trigo entero tarda casi el doble en cocinarse que el resto de los granos: hay que cocinarlo por separado.

VARIANTES

- Use otras frutas ácidas, como la granada, el pomelo o clementinas pequeñas en vez de naranja.
- Si lo prefiere, puede servir fría esta ensalada.

Información nutricional: Energía 520 kcal/2.177 kJ; proteína 16 g; hidratos de carbono 61 g, de los cuales azúcares 4 g; grasas 25 g, de las cuales saturadas 3 g; colesterol 7 mg; calcio 75 mg; fibra 5 g; sodio 361 mg.

PLATOS DE CARNES Y PESCADOS

Añadir quinua a carnes o pescados ayuda a potenciarlos en términos nutritivos y de contundencia. Las recetas de este capítulo están llenas de proteína, aminoácidos esenciales, vitaminas y minerales, y ofrecen muchas maneras distintas de incluir este «superalimento» a sus carnes y pescados favoritos.

De origen veneciano, carpaccio es el nombre que se le da a un plato de carne o pescado crudos. El atún, rico en omega-3, es perfecto para esto, y en esta receta se presenta cubierto de quinua y sellado para que retenga sus jugos. Servido sobre una cama de arroz de Camargue, con un aroma a nueces, quinua y col rizada, forma un plato muy elaborado. El pescado debe marinarse durante al menos 3 horas antes de cocinarse.

CARPACCIO DE ATÚN A LA PLANCHA

4 RACIONES

4 filetes de atún fresco, unos 500 g
50 g/⅓ de taza de quinua roja cocinada
Un puñado de orégano fresco picado
15 ml/una cucharada de aceite vegetal
15 ml de aceite de sésamo
Sal y pimienta negra molida

Para el marinado

45 ml/3 cucharadas de salsa de rábano picante
Zumo de una lima
5 ml/una cucharadita de mostaza de Dijon
Pimienta negra molida

Para el arroz de Camargue

30 ml/2 cucharadas de aceite de oliva
2 chalotas, cortadas en cubitos
115 g/ ½ taza de arroz de Camargue
750 ml/3 tazas de caldo de pescado
175 g/una taza de quinua perlada
115 g de col rizada, picada
Sal y pimienta negra molida

Para servir

60 ml/4 cucharadas de mayonesa mezclada con 5 ml/una cucharadita de granos de mostaza
Rodajas de lima

1. Unas 3 horas antes de comer, haga el marinado mezclando los ingredientes. Añada los filetes de atún, remueva bien para cubrirlos, tape el cuenco y déjelo en la nevera.

2. Media hora antes de comer, prepare la mezcla de arroz y quinua. En una sartén mediana caliente 15 ml/una cucharada de aceite de oliva, añada las chalotas y el arroz y cocine 3-4 minutos, hasta que la chalota esté blanda.

3. Añada el caldo de pescado a la sartén, lleve al punto de ebullición y cocine a fuego lento durante 25 minutos. Después añada la quinua perlada lavada y cocine durante otros 15 minutos, hasta que ambos granos estén al dente. Añada un poco de agua mientras cocina, si es necesario. Una vez hechos, escurra el agua y apártelos.

4. Mientras cocina la mezcla de arroz y quinua, prepare el atún marinado. Ponga la quinua roja cocinada en un cuenco mediano y mézclelo con el orégano fresco, un poco de sal y bastante pimienta negra. Sumerja los filetes de atún húmedos.

5. Caliente el aceite vegetal en una sartén y selle los filetes recubiertos a fuego medio durante un minuto, hasta que la capa externa esté crujiente. Déles la vuelta y cocine el otro lado durante otro minuto. Usando un cuchillo afilado, corte los filetes en rodajas de unos 5 mm. Vierta por encima el aceite de sésamo, cúbralos y resérvelos.

6. Fría la col cortada en 15 ml/una cucharada de aceite de oliva y con unas gotas de agua a fuego fuerte, removiendo, durante 2-3 minutos, hasta que quede pochada. Añada el arroz y la mezcla de granos a la sartén y remuévalos junto a la col para que se calienten uniformemente. Sazone.

7. Para servir, divida la mezcla de arroz, quinua y col entre cuatro platos y cubra con rodajas de atún. Ponga una cucharada de mayonesa de mostaza encima y sirva junto a la lima.

Información nutricional: Sin gluten. Energía 686 kcal/2.878 kJ; proteína 39 g; hidratos de carbono 63 g, de los cuales azúcares 7 g; grasas 33 g, de las cuales saturadas 5 g; colesterol 45 mg; calcio 122 mg; fibra 5 g; sodio 617 mg.

El zumaque proviene de los frutos de un arbusto que crece en África y América del Norte. Tiene un fuerte color rojo y aporta un agradable sabor picante a la comida. En esta receta, se compensa la rica oleosidad de la trucha al rellenarla de quinua, fruta seca y hierbas. Este plato tiene un aspecto impresionante pero engañoso, pues es muy fácil de preparar. Sirva junto al pescado el relleno que sobre.

TRUCHA RELLENA DE QUINUA

4 RACIONES

30 ml/2 cucharadas de aceite de oliva
Una cebolla mediana, en cubitos
Un diente de ajo, machacado
30 ml/2 cucharadas de zumaque
2'5 ml/ ½ cucharadita de canela
550 ml/2 tazas y ½ de caldo de pescado
Zumo y piel de un limón
175 g/una taza de quinua perlada
50 g/⅓ de taza de albaricoques secos picados finamente
50 g/⅓ de taza de pasas
4 truchas pequeñas (1 kg de peso total), limpias y sin escamas
Sal, pimienta negra molida y aceite
Piel de limón rallada, para aderezar las patatas asadas y la ensalada verde

1. Caliente el horno a 180 °C. Caliente 15 ml/una cucharada de aceite de oliva en una sartén mediana y añada la cebolla, el ajo, el zumaque y la canela.

2. Fría unos minutos para ablandar la cebolla y que se libere el sabor de las especias. Añada el caldo con zumo de limón y piel, y vierta la quinua.

3. Lleve al punto de ebullición y cocine a fuego lento durante 8 minutos. Añada los albaricoques y las pasas, y cocine durante varios minutos más, hasta que la quinua esté cocinada y la fruta se haya hinchado. Sazone al gusto.

4. Seque el pescado con papel de cocina. Impregne la piel con el aceite que quede y ponga el pescado sobre una tabla. Rellénelos con la mezcla de fruta y quinua. Colóquelos en un plato y cubra con papel de aluminio.

5. Hornee durante 20-30 minutos, hasta que el pescado esté ligeramente rosado y desmenuzable. Fría con una gota de aceite el relleno que sobre, para volver a calentarlo.

6. Adorne el pescado con la ralladura de limón y sirva junto al relleno recalentado, las patatas asadas y la ensalada.

VARIANTE

Use otro pescado rico en grasas, como la caballa o el salmón.

Información nutricional: Sin gluten, si usa un caldo de pescado libre de él. Energía 478 kcal/2.008 kJ; proteína 37 g; hidratos de carbono 45 g, de los cuales azúcares 18 g; grasas 18 g, de las cuales saturadas 3 g; colesterol 98 mg; calcio 97 mg; fibra 7 g; sodio 494 mg.

Este lujoso pastel se hizo popular en Rusia a principios del siglo xx y podía contener bacalao, esturión, caballa y arroz. En esta ocasión, la capa tradicional de arroz ha sido reemplazada por quinua roja, rica en proteína, que combina muy bien con el salmón de color rosa fuerte y constituye una pieza central espectacular en comidas de celebración y momentos especiales.

COULIBIAC DE QUINUA Y SALMÓN

4 RACIONES

400 g de lomos de salmón
15 ml/una cucharada de aceite de oliva
Una cebolla mediana, picada finamente
75 g/una taza escasa de champiñones, picados finamente
Un diente de ajo, machacado
115 g/⅔ de taza de quinua roja
350 ml/una taza y ½ de caldo de pescado
2 huevos
120 ml/½ taza de vino blanco
Un puñado de perejil fresco, picado
Zumo y piel de un limón
350 g de hojaldre de mantequilla
Sal y pimienta negra molida
30 ml/2 cucharadas de mezcla de leche y mantequilla fundida, para glasear

1. Coloque los lomos de salmón en una bandeja de horno y cocine ligeramente, a temperatura media, 5 minutos cada lado. Quite la piel. Desmenuce la carne, eliminando todas las espinas, y resérvelo.

2. Caliente el aceite de oliva en una sartén, añada la cebolla picada, los champiñones, el ajo y la quinua lavada y cocine durante 2-3 minutos, hasta que la cebolla empiece a dorarse.

3. Añada el caldo de pescado y después los huevos enteros, con cáscara. Tape y cocine a fuego lento durante 8 minutos para que se cuezan los huevos.

4. Retire los huevos y póngalos en agua fría. Añada el vino al caldo de quinua y siga cocinando hasta que la mayor parte del líquido haya sido absorbida y la quinua esté tierna.

5. Añada el perejil picado, la ralladura de limón y el zumo a la mezcla de quinua, sazone con bastante sal y pimienta, apártelo y deje enfriar. Precaliente el horno a 200 °C. Pele y corte en trozos los huevos duros.

6. Estire la masa formando un rectángulo grande. Reserve una pequeña parte de la masa para hacer hojas o formas decorativas, si lo desea. Corte la masa a lo largo en dos mitades, una ligeramente más ancha que la otra. Coloque la mitad más grande a una bandeja de horno (no hay necesidad de engrasarla).

7. Reparta homogéneamente el salmón desmenuzado por la parte central de la masa, dejando un margen a lo largo de los cuatro lados. Vierta la mezcla de quinua sobre el salmón, dándole una forma redondeada. Eche el huevo por encima.

8. Humedezca el borde de la masa con una parte de la mezcla de leche y mantequilla, y después ponga por encima la otra parte de la masa, sin descolocar el relleno. Junte los bordes para sellar y a continuación use sus dedos y un cuchillo afilado para rizarlos.

9. Decore con formas hechas con la masa reservada. Barnice con la mezcla de leche y mantequilla, usando un pincel de cocina. Haga un par de hendiduras limpias (de unos 2 cm de longitud) en la parte superior.

10. Hornee el coulibiac durante 25-30 minutos.

Información nutricional: Energía 797 kcal/2.994 kJ; proteína 32 g; hidratos de carbono 57 g, de los cuales azúcares 7 g; grasa 39 g, de las cuales saturadas 3 g; colesterol 114 mg; calcio 134 mg; fibra 5 g; sodio 519 mg.

En este plato, Asia se junta con Sudamérica, con un resultado que hace la boca agua. El salteado es una mezcla picante de sabores cálidos, dulces y salados que dan vida a la quinua, el huevo y las gambas, de sabores suaves. En esta receta, la quinua aporta un toque nutritivo a un plato rico en proteína, constituyendo una receta única, rápida y fácil de hacer, perfecta para las cenas.

GAMBAS CHINAS CON QUINUA FRITA CON HUEVO

4 RACIONES
450 g de gambas peladas
30 ml/2 cucharadas de aceite de sésamo
60 ml/4 cucharadas de aceite vegetal
Un chile mediano, picado finamente
2 dientes de ajo, machacados
6 cebolletas, cortadas en rodajas finas
250 g/2 tazas de champiñones, cortados en rodajas finas
125 g/una taza y ¼ de guisantes congelados
600 g/4 tazas de quinua blanca cocinada
6 huevos batidos
Pan de gambas, para servir

Para el marinado
120 ml/½ taza de salsa de soja
30 ml/2 cucharadas de aceite de sésamo
60 ml/4 cucharadas de aceite de chile dulce

1. Prepare el marinado mezclando todos los ingredientes en una sartén mediana. Añada todas las gambas, removiéndolas para que queden sumergidas y después cubra con plástico y deje marinar durante al menos un par de horas.

2. Prepare el resto de los ingredientes antes de empezar. Después caliente los aceites de sésamo y vegetal a fuego fuerte en una sartén grande o wok. Añada el chile y el ajo picados y sofría durante 3-4 segundos para que se desprendan los aromas.

3. Añada las cebolletas, los champiñones y los guisantes a la sartén, y sofría durante varios minutos hasta que los champiñones estén dorados. Añada la quinua cocinada y remueva para que toda la mezcla se caliente de forma uniforme.

4. Mientras tanto, ponga la sartén del marinado a fuego fuerte y cocine las gambas en ella durante 5 minutos.

5. Haga un hueco en el centro de la mezcla sofrita y vierta los huevos batidos, dejando que el calor comience a cocinarlos desde abajo durante un par de minutos.

6. Baje el fuego ligeramente y mezcle rápidamente los huevos semicocinados con los demás ingredientes, y deje que se cocinen durante unos segundos. No deje que los huevos se hagan demasiado o se volverán gomosos.

7. Añada las gambas y el marinado rápidamente a la mezcla y retire la sartén del fuego.

8. Sirva el sofrito inmediatamente en cuencos grandes, acompañados de pan de gambas si lo desea.

VARIANTE
Puede usar pollo cocinado en lugar de gambas. Asegúrese de que está completamente recalentado en el cuarto paso.

Información nutricional: Sin gluten, si usa una salsa de soja libre de él. Energía 691 kcal/2.741 kJ; proteína 39 g; hidratos de carbono 40 g, de los cuales azúcares 8 g; grasas 40 g, de las cuales saturadas 7 g; colesterol 192 mg; calcio 169 mg; fibra 8 g; sodio 2.766 mg.

Los sabores aromáticos de las hierbas y especias tailandesas le aportan a la quinua la textura e intensidad que necesita. La quinua negra tiene una textura más firme que la blanca, y posee un llamativo color tinta y un sabor terroso, que complementa a las vieiras. Este plato es ideal como cena sencilla o como parte de una comida de estilo auténticamente tailandés.

VIEIRAS TAILANDESAS Y CHILE CON QUINUA NEGRA

Información nutricional: Sin gluten, si usa salsa de soja libre de él. Energía 422 kcal/1.742 kJ; proteína 25 g; hidratos de carbono 55 g, de los cuales azúcares 10 g; grasas 12 g, de las cuales saturadas 2 g; colesterol 26 mg; calcio 138 mg; fibra 6 g; sodio 854 mg.

4 RACIONES

275 g de vieiras frescas
3 cebolletas, cortadas en rodajas finas
Un pimiento rojo, picado finamente
15 ml/una cucharada de aceite de sésamo
Cilantro fresco, para aderezar
Pan de gambas, para servir

Para el marinado

15 ml/una cucharada de aceite de sésamo
25 g de raíz de jengibre fresca, rallada
1/2 chalota larga, pelada y cortada en cubitos
5 ml/una cucharadita de hierba de limón picada
5 ml/una cucharadita de pasta de tamarindo
45 ml/3 cucharadas de ketjap manis (salsa dulce de soja)
2 dientes de ajo, machacados

Para el chile con quinua negra

275 g/una taza y ⅔ de quinua negra
400 ml/una taza y ⅔ de leche de coco
600 ml/2 tazas y ½ de agua
1/2 chalota larga, cortada finamente
1/2 chile fresco, cortado finamente

1. Primero prepare el marinado. Ponga todos los ingredientes en una batidora pequeña y procéselos hasta formar una pasta tosca. Como alternativa, puede batirlos con un mortero.

2. Ponga las vieiras, las cebolletas y el pimiento rojo en un cuenco grande y añada el marinado. Tape y deje marinar durante al menos una hora.

3. Prepare el chile de quinua. Lave la quinua en agua y viértala en una sartén.

4. Añada la leche de coco, el agua, la chalota y el chile a la sartén. Lleve la quinua al punto de ebullición, tape, reduzca el fuego y cocine a fuego lento durante 12-14 minutos, hasta que esté hecha pero firme. Escurra, reservando el líquido sobrante y deje a un lado.

5. Cuando esté preparado para servir, caliente el aceite de sésamo en un wok o sartén grande. Añada las vieiras, las verduras y el marinado y sofría durante 3-5 minutos a fuego fuerte, hasta que las vieiras estén cocinadas y suelten aroma, las verduras estén blandas y se evapore el líquido. Añada la quinua a la sartén y remueva para que todo se cocine uniformemente.

6. Divida la mezcla de quinua y las vieiras en cuatro cuencos. Después vierta por encima el caldo caliente sobrante de la quinua. Acompañe con cilantro fresco y sirva inmediatamente con pan de gambas.

VARIANTE

Una buena opción es usar gambas frescas en lugar de vieiras.

CONSEJO DE COCINA

Tenga cuidado de no cocinar en exceso las vieiras o perderán su textura tierna característica, volviéndose gomosas.

La quinua es un ingrediente excelente para rellenos como sustituto sin gluten del pan rallado. Y si se usa para sustituir carne de salchicha, es muy efectivo para reducir el contenido de grasa. Esta receta alberga los sabores tradicionales del limón, la salvia y la cebolla, potenciando al delicioso pollo asado, mientras que las verduras cubiertas de quinua son el acompañamiento perfecto.

POLLO ASADO RELLENO DE LIMÓN Y QUINUA

4 RACIONES

Un pollo de unos 1'3 kg
15 ml/una cucharada de aceite de oliva
4 tiras de bacón
Sal y pimienta negra molida

Para el relleno

15 ml/una cucharada de aceite vegetal
2 dientes de ajo, machacados
Una cebolla mediana, picada finamente
125 g/¾ de taza de quinua perlada
475 ml/2 tazas de agua
2 limones, el zumo de ambos, la ralladura de uno
25 g/¼ de taza de harina de quinua
25 g de salvia fresca, picada finamente
25 g de alcaparras, picadas
25 g/⅙ de taza de mantequilla
Sal y pimienta negra molida

Para las verduras asadas

600 g de mezcla de verduras de raíz (remolacha, colinabo, batata, chirivía, apio), peladas y cortadas en bastones de 4 cm
25 g/¼ de taza de harina de quinua
15 ml/una cucharada de perejil fresco, picado
30 ml/2 cucharadas de aceite de oliva
Sal y pimienta negra molida

1. Caliente el horno a 200 °C. Prepare el relleno. Caliente el aceite en una sartén y añada el ajo, la cebolla, la quinua y agua. Lleve al punto de ebullición, y cocine a fuego lento durante 12-14 minutos, hasta que la quinua esté blanda. Escurra el exceso de agua. Mezcle el resto de ingredientes del relleno y añada bastante sal y pimienta.

2. Rellene holgadamente la cavidad del pollo, hasta dos terceras partes, pues el calor debe poder circular por dentro del ave. Pese el pollo relleno y calcule el tiempo de cocinado en base a la fórmula de 20 minutos por cada 450 g más 10 o 20 minutos, y después 30 minutos de reposo.

3. Sancoche las verduras durante unos 3 minutos en una cazuela tapada. Escurra, añada la harina de quinua, el perejil, sal y pimienta, remueva para que todo quede cubierto y deje a un lado.

4. Unos 20 minutos antes de que termine de asarse el pollo, ponga el aceite de oliva para las verduras asadas en una cacerola a prueba de horno y caliente. Quite el bacón de la parte superior del pollo, resérvelo y eche los jugos liberados por encima del pollo.

5. Añada las verduras cubiertas de quinua a la cacerola caliente, girándolas en el aceite, y después póngalas en el horno.

6. Compruebe si el pollo está bien hecho clavando una brocheta en la parte más gruesa del muslo y verifique que los jugos sean claros. Sáquelo del horno y déjelo reposar a un lado, siempre cubierto.

7. Incremente la temperatura del horno a 200 °C y ase las verduras durante 15 minutos, hasta que estén muy crujientes.

8. Trinche el pollo y sírvalo junto a la panceta crujiente, una cucharada de relleno y las verduras asadas recubiertas de quinua.

Información nutricional: Sin gluten. Energía 778 kcal/3.257 kJ; proteína 56 g; hidratos de carbono 50 g, de los cuales azúcares 12 g; grasas 41 g, de las cuales saturadas 11 g; colesterol 186 mg; calcio 161 mg; fibra 8 g; sodio 878 mg.

Esta cacerola de estilo tajín de carne especiada y verduras está llena de sabores norteafricanos. Es muy buena opción como receta deliciosa de plato único para bocas hambrientas, y está bien equilibrada nutricionalmente, pues contiene tres fuentes de proteína (pollo, garbanzos y quinua), así como hidratos de carbono y una cantidad generosa de verduras.

CACEROLA MARROQUÍ DE POLLO

Información nutricional: Energía 678 kcal/2.846 kJ; proteína 36 g; hidratos de carbono 72 g, de los cuales azúcares 16 g; grasas 30 g, de las cuales saturadas 6 g; colesterol 123 mg; calcio 162 mg; fibra 7 g; sodio 739 mg.

4 RACIONES

30 ml/4 cucharadas de aceite vegetal
450 g de muslos de pollo, con piel
6 chalotas, peladas y cortadas por la mitad
2 dientes de ajo, machacados
Trozo de raíz de jengibre fresca de 2'5 cm, rallada
5 ml/una cucharadita de jengibre molido
7'5 ml/una cucharada y ½ de pimentón ahumado
7'5 ml/una cucharada y ½ de comino en polvo
225 g de calabaza, pelada y cortada en cubitos de 2 cm
300 g/2 tazas de quinua perlada
115 g/una taza rasa de garbanzos cocinados
200 g de tomates cherry enlatados
50 g/½ taza de aceitunas negras, deshuesadas
Un limón en conserva, troceado finamente
25 g/¼ de taza de pasas
30 ml/2 cucharadas de puré de tomate
1'2 litros/5 tazas de caldo de pollo
Sal y pimienta negra en polvo
Un puñado de cilantro fresco rasgado, para aderezar
Trozos de pan fresco, para servir

1. Caliente el horno a 180 °C. Caliente 15 ml/una cucharada de aceite vegetal en una sartén grande y añada muslos de pollo, sellándolos a fuego fuerte durante unos minutos, hasta que estén dorados enteros. Transfiéralos a una cacerola grande con tapa.

2. Añada otros 15 ml/una cucharada de aceite a la sartén y las chalotas, el ajo, el jengibre fresco y en polvo, el pimentón, el comino y la calabaza. Fría unos 5-6 minutos.

3. Añada la quinua, los garbanzos, los, tomates, las aceitunas, el limón y las pasas y remueva para calentar uniformemente y cubrir bien la quinua. Transfiera la mezcla a la cacerola y póngala a fuego medio.

4. Agregue el puré de tomate, el caldo y los condimentos a la cacerola y lleve al punto de ebullición. A continuación, tápela y cocine en el horno durante 50-60 minutos, hasta que la calabaza esté tierna y la mayor parte de los fluidos hayan sido absorbidos por la quinua. Quite la cacerola del horno y añada el cilantro fresco.

5. Sirva en cuencos calentados y acompañado de trozos de pan. No lo deje reposar mucho tiempo, o la quinua terminará absorbiendo todo el líquido.

VARIANTE
Vierta 15ml/una cucharada de miel a la mezcla justo antes de servir para darle un toque menos picante y más dulce al plato.

CONSEJO DE COCINA
Este plato puede prepararse antes de comer, pero será necesario que eche algo más de caldo antes de servir, pues la quinua absorberá todo el líquido disponible mientras espere a servir.

Estos bocados pequeños y delicados contienen cinco especias chinas, en una mezcla intensa y picante que incluye anís estrellado y canela. La clave de su rápida preparación es tener algo de quinua cocinada a mano. Las hamburguesas son buenísimas como plato rápido o para las ardientes barbacoas de verano, servidas con pak choi, quinua cocinada, chalotas y ajo.

CERDO A LAS CINCO ESPECIAS Y HAMBURGUESAS DE MANZANA

4 RACIONES

Aceite vegetal, para freír
Una cebolla mediana, picada finamente
2 dientes de ajo, machacados
Una manzana para cocinar mediana, pelada, sin corazón y rallada
450 g de carne de cerdo magra picada
10 ml/2 cucharaditas de cinco especias chinas en polvo
5 ml/una cucharadita de mostaza
115 g/²/₃ de taza de quinua cocinada roja o negra
Un huevo, batido
50 g/½ taza de harina de quinua
Sal y pimienta negra molida
Chalota y quinua de ajo (vea el Consejo de cocina), pak choi al vapor y salsa de soja, para servir

1. Caliente 15 ml/una cucharada de aceite en una sartén mediana. Añada la cebolla, el ajo y la manzana y fría durante 3-4 minutos, hasta que se ablanden. Retire del fuego y transfiera los ingredientes a un cuenco grande.

2. Añada la carne de cerdo picada, el polvo de cinco especias y la mostaza al cuenco, junto a la quinua cocinada, el huevo batido, la harina y el condimento. Mezcle los ingredientes con sus manos.

3. Con las manos ligeramente humedecidas, para evitar que se peguen, divida la mezcla en ocho partes, dándole forma de hamburguesas y deposítelas sobre una tabla enharinada.

4. En una sartén limpia, caliente 30 ml/2 cucharadas de aceite y fría las hamburguesas a fuego fuerte 3-4 minutos.

5. Dé la vuelta a las hamburguesas y fríalas por el otro lado durante 3 minutos más. Luego reduzca el fuego y cocine durante otros 6-8 minutos, hasta que estén hechas uniformemente y no quede rosa la parte central. Manténgalas calientes en el horno. Sirva las hamburguesas sobre un montón de quinua (vea el Consejo de cocina), con pak choi al vapor y un chorrito de salsa de soja.

VARIANTES

- Si cambia el cerdo por ternera, use zanahoria rallada en vez de manzana.
- Puede omitir las especias y dar sabor al plato con una mezcla de hierbas.
- Como alternativa, embadurne las hamburguesas crudas con un poco de aceite y hágalas en una barbacoa muy caliente.

CONSEJO DE COCINA

Para el acompañamiento de quinua, cocine la cantidad requerida y, mientras esté humeando, fría una chalota banana a fuego fuerte hasta que esté dorada y crujiente. Añada un diente de ajo machacado y remuévalo durante unos segundos para que libere su aroma, y posteriormente vierta la mezcla de cebolla y ajo sobre la quinua cocinada, añadiendo sal y pimienta al gusto.

Información nutricional: Sin gluten. Energía 766 kcal/3.167 kJ; proteína 16 g; hidratos de carbono 22 g, de los cuales azúcares 6 g; grasas 69 g, de las cuales saturadas 24 g; colesterol 113 mg; calcio 70 mg; fibra 3 g; sodio 105 mg.

Este plato es un arroz inspirado en Oriente Medio, que suele elaborarse usando cordero y dándole sabor con especias. Aquí, la quinua negra sustituye al arroz, y se cocina en un caldo de tomate rico y picante con verduras coloridas para formar un plato llamativo. La quinua negra retiene su textura mejor que la quinua perlada, así que es perfecta para esta receta, donde es fundamental la definición de la textura.

PILAFF DE QUINUA NEGRA Y CORDERO

4 RACIONES

- 2'5 ml/½ cucharadita de semillas de cilantro
- 5 ml/una cucharadita de semillas de comino
- 15 ml/una cucharada de aceite de oliva
- Una cebolla mediana, cortada en cubitos
- 300 g de carne de cordero picada
- Un diente de ajo, pelado y machacado
- Una berenjena pequeña, troceada
- Un pimiento rojo, troceado
- 25 g/¼ de taza de aceitunas negras sin hueso
- 275 g/una taza y ⅔ de quinua negra
- 250 ml/una taza de agua
- 450 g de tomates troceados en lata
- 30 ml/2 cucharadas de puré de tomate
- Un cubito de caldo de cordero o pollo
- 3 vainas de cardamomo, aplastadas
- 2 hojas de laurel
- Sal y pimienta negra molida
- Yogur natural, pan plano con semillas y ensalada verde con zumo de limón, para servir

1. En una sartén pequeña, fría con muy poco aceite las semillas de cilantro y comino a fuego fuerte durante un par de minutos para liberar su sabor. Muélalas usando un mortero o un molinillo de café.

2. Añada el aceite y la cebolla a una sartén grande y fría durante 3 minutos a fuego medio para ablandarla.

3. Añada el cordero a la sartén y fría a fuego fuerte durante 3-4 minutos, antes de añadir las semillas molidas, el ajo, la berenjena, el pimiento y las aceitunas.

4. Sofría durante otros 3-4 minutos. La berenjena absorberá los jugos liberados por el cordero, pero puede escurrirlos para obtener un plato menos graso, si lo desea.

5. Añada la quinua lavada, agua, los tomates, el puré de tomate, el cubito de caldo, las vainas de cardamomo y las hojas de laurel a la sartén, y sazone bien con sal y pimienta.

6. Lleve al punto de ebullición, reduzca el fuego y cocine a fuego lento durante 20 minutos, hasta que la mayor parte del líquido sea absorbida y la quinua se ablande pero conserve parte de su firmeza.

7. Deje reposar el pilaff durante 5-10 minutos antes de servir. Retire las hojas de laurel y las vainas de cardamomo si logra encontrarlas.

8. Sirva el pilaff rociado con yogur natural para compensar el cordero, que tiene un sabor fuerte, junto al pan plano con semillas y las hojas crujientes de la ensalada, aliñada con zumo de limón.

CONSEJO DE COCINA

Puede usar quinua perlada en esta receta, pero reduzca el tiempo de cocinado a 15 minutos y el tiempo de reposo a no más de 5 minutos, para evitar que se hinche en exceso.

VARIANTE

Use paletilla de cordero cortada en dados de 1 cm en vez de carne picada.

Información nutricional: Energía 488 kcal/2.042 kJ; proteína 28 g; hidratos de carbono 54 g, de los cuales azúcares 12 g; grasas 19 g, de las cuales saturadas 6 g; colesterol 57 mg; calcio 152 mg; fibra 8 g; sodio 560 mg.

PLATOS PRINCIPALES VEGETARIANOS

La quinua es quizá una de las fuentes de proteínas no animales más perfectas, pues contiene los nueve aminoácidos esenciales, así como nutrientes vitales como el hierro, el calcio y vitaminas del grupo B. Como muestran las recetas de este capítulo, la quinua se gana sobradamente el privilegio de ser el ingrediente principal en platos vegetarianos.

La laksa es un curry de Malasia y Singapur del cual existen muchas variantes. La mayoría de las recetas usan gambas, tofu o pollo, así como verduras crujientes, fideos Vermicelli y especias aromáticas, todos ellos servidos sobre una base de leche de coco. Aquí la quinua perlada sustituye a los fideos para crear una comida o cena contundente y con un sabor delicioso.

TOFU MALAYO Y LAKSA DE QUINUA

Información nutricional: Sin gluten. Energía 266 kcal/1.121 kJ; proteína 12 g; hidratos de carbono 38 g, de los cuales azúcares 12 g; grasas 8 g, de las cuales saturadas 1 g; colesterol 0 mg; calcio 264 mg; fibra 4 g; sodio 152 mg.

4 RACIONES

10 ml/2 cucharadas de aceite vegetal
10 ml/2 cucharadas de pasta de curry rojo
150 g de batata, pelada y cortada en cubitos
125 g/¾ de taza de quinua perlada
300 ml/una taza y ¼ de leche de coco
600 ml/2 tazas de agua
15 ml/una cucharada de pasta de tamarindo
Un diente de ajo, machacado
25 g de cebolletas, cortadas en rodajitas de 5 mm
8 guisantes de nieve
4 mazorcas de maíz pequeñas, cortadas por la mitad
200 g de tofu, cortados en cubitos de 2 cm de lado
Cilantro fresco, picado y un trozo de pepino de 6 cm cortado en palitos finos, como guarnición
Té verde, para servir

1. Caliente 15ml/una cucharada de aceite en una sartén grande, después añada la pasta de curry, los cubitos de batata y la quinua. Fría a fuego medio durante 3-4 minutos, hasta que se liberen las fragancias y sabores de las especias.

2. Añada la leche de coco a la sartén y remueva hasta crear una mezcla suave. Después añada el agua y la pasta de tamarindo. Lleve al punto de ebullición, reduzca el fuego y cocine a fuego lento durante 12-14 minutos, removiendo ocasionalmente, hasta que la quinua esté tierna.

3. Escurra la quinua, tape para mantener caliente y deje a un lado, reservando el caldo de curry y coco en una cazuela pequeña. No deje la quinua en el caldo o continuará hinchándose y absorbiéndolo.

4. En una sartén, caliente el aceite restante y añada el ajo, las cebolletas, los guisantes de nieve y las mazorcas de maíz. Sofría a fuego fuerte 3-4 minutos, hasta que se ablanden pero se mantengan crujientes.

5. Añada los cubitos de tofu a la sartén y dore durante otros 3 minutos, girando con cuidado los cubitos, solo dos o tres veces, para evitar que se rompan. Vuelva a calentar el caldo de coco.

6. Para servir, divida el tofu, las verduras y la mezcla de quinua en cuatro cuencos grandes calentados, y vierta por encima el caldo caliente. Guarnicione con hojas de cilantro fresco y palitos de pepino. Sirva con té verde para acentuar el sabor de este plato.

CONSEJOS DE COCINA

- La clave de esta receta es mantener crujientes las verduras y el tofu intacto para darle al curry unas formas y texturas bien definidas.
- Puede hacer el curry antes, siempre y cuando separe la quinua del caldo de coco, pues de lo contrario absorberá todo el líquido, dando como resultado un risotto de quinua.

Este es un plato único económico y completo, pues contiene proteína, hidratos de carbono y verduras. También es rápido y fácil de hacer, e incluso resulta más saciante si se sirve con pan plano. Rico en hierro y calcio procedentes de las lentejas, las espinacas y la quinua, supone un aporte fuerte no solo de sabor, sino también nutricional. La lima y el limón son el acompañamiento perfecto.

CURRY DE QUINUA Y LIMA

4 RACIONES

15 ml/una cucharada de aceite de colza
Una cebolla pequeña, cortada en rodajas finas
Un diente de ajo, pelado y machacado
15 ml/una cucharada de garam masala
115 g de coliflor
Una zanahoria mediana, pelada y cortada en cubitos
125 g/¾ de taza de quinua perlada
150 g/½ taza generosa de lenteja roja
750 ml/3 tazas de agua hirviendo
400 g de tomates triturados en lata
15 ml/una cucharada de puré de tomate
115 g de espinacas, lavadas y cortadas
15 ml/una cucharada de cilantro fresco triturado, y un poco más para guarnición
30 ml/2 cucharadas de limón encurtido
Sal y pimienta negra molida
Trozos de lima y limón encurtido, para servir

Para el pan plano de semillas

30 ml/2 cucharadas de mezcla de semillas, como pipas de calabaza y girasol y semillas de amapola
175 g/una taza y ½ de harina integral
175 g/una taza y ½ de harina de quinua
7'5 ml/una taza y ½ de levadura en polvo
10 ml/2 cucharaditas de comino molido
2'5 ml/½ cucharadita de sal
30 ml/2 cucharadas de aceite de oliva
Unos 175 ml/¾ de taza de agua fría
Aceite vegetal, para freír

1. Haga la masa del pan plano. Tueste las semillas durante 4-5 minutos en el horno a temperatura media o en una sartén seca.

2. Combine las semillas con las harinas, la levadura, el comino y la sal en un cuenco grande. Añada el aceite y suficiente agua para hacer una masa suave y maleable. Es posible que no necesite toda el agua. Amase ligeramente, cubra con un trapo y deje a un lado.

3. Prepare el curry. Caliente el aceite en una sartén, añada la cebolla, el ajo y el garam masala y fría a fuego medio durante unos minutos, para que se liberen los sabores de las especias. Añada la coliflor y la zanahoria y fría durante 3-4 minutos para ablandarlas.

4. Añada la quinua, las lentejas, el agua, los tomates triturados y el puré de tomate a la sartén y lleve al punto de ebullición. Reduzca el calor y cocine a fuego lento durante 15 minutos, hasta que la quinua y las lentejas estén cocinadas.

5. Vierta la espinaca, el cilantro y el limón encurtido y cocine durante un par de minutos más.

6. Mientras tanto, divida por la mitad la masa del pan plano y extiéndalo con un rodillo hasta obtener una altura de 5 mm. Caliente un poco de aceite en una sartén y fría una mitad a fuego medio durante 3-4 minutos, hasta que le salgan algunas burbujas y se chamusque ligeramente. Déle la vuelta y cocine el otro lado. Retire del fuego, corte en cuñas o tiras y guárdelas en un trapo limpio para mantenerlas calientes y blandas. Repita el proceso con la masa restante.

7. Pruebe el curry para sazonarlo al gusto y a continuación divídalo en cuatro cuencos, guarnicione con cilantro y sirva con trozos de lima, pan plano y una pizca de limón encurtido.

VARIANTES

Sustituya la coliflor y la zanahoria por otras verduras, si lo desea. Pruebe judías verdes y patata, o champiñones y calabacín.

Información nutricional: Energía 755 kcal/ 1.385 kJ; proteína 30 g; hidratos de carbono 115 g, de los cuales azúcares 12 g; grasas 26 g, de las cuales saturadas 5 g; colesterol 0 mg; calcio 308 mg; fibra 10 g; sodio 460 mg.

Los sabores picantes, dulces y agrios de los sofritos al estilo chino le dan vida a la quinua. Mezcle y combine los ingredientes de acuerdo con las estaciones, pero asegúrese de que todo lo que utiliza es fresco, para obtener los mejores sabores y texturas. El secreto de un buen sofrito es tener todos los ingredientes preparados, pues una vez que se empieza a cocinar no hay tiempo para buscarlos.

SOFRITO CHINO DE QUINUA Y VERDURAS

Información nutricional: Sin gluten, si usa un salsa de soja libre de él. Energía 500 kcal/2.091 kJ; proteína 17 g; hidratos de carbono 51 g, de los cuales azúcares 16 g; grasas 27 g, de las cuales saturadas 4 g; colesterol 0 mg; calcio 120 mg; fibra 6 g; sodio 686 mg.

4 RACIONES

175 g/una taza de quinua perlada
750 ml/3 tazas de agua
10 ml/2 cucharaditas de jengibre molido
15 ml/una cucharada de azúcar
30 ml/2 cucharadas de vinagre de arroz
60 ml/4 cucharadas de caldo de verduras
30 ml/2 cucharadas de salsa de soja ligera, y un poco de salsa extra para servir (opcional)
2'5 ml/½ cucharadita de copos de chile secos
15 ml/una cucharada de aceite vegetal
30 ml de aceite de sésamo
2 dientes de ajo, pelados y machacados
Trozos de 2 cm de raíz de jengibre fresca, pelada y rallada
Una zanahoria, pelada y cortada en tiras finas
Un pimiento naranja o amarillo, sin semillas y cortado en tiras finas
175 g/2 tazas generosas de champiñones, cortados finamente
Un puerro mediano, lavado y cortado en tiras largas de 5 cm
2 palitos de ajo, cortados en tiras largas de 5 cm
150 g de brotes de soja
150 g de brócoli, cortado en cabezuelas pequeñas
75 g de anacardos, cortados en trozos

1. Lave la quinua y a continuación póngala en una cazuela. Añada agua y el jengibre molido y lleve al punto de ebullición. Cocine a fuego lento durante 14-16 minutos, hasta que esté tierna al tacto. Escurra y deje a un lado.

2. Mientras tanto, mezcle el azúcar y el vinagre en un cuenco pequeño, removiendo hasta que todo el azúcar se haya disuelto. Añádales el caldo, la salsa de soja y los copos de chile. Después tape y deje a un lado.

3. En un wok o sartén grande, caliente el aceite vegetal y el de sésamo y añada el ajo y el jengibre fresco rallado, removiendo brevemente para que liberen sus aromas.

4. Añada la zanahoria, el pimiento y los champiñones al wok, fría durante unos segundos y eche el puerro, los brotes de soja y el brócoli. Fría de nuevo durante unos segundos, removiendo todo el tiempo.

5. Añada los anacardos al wok y sofría de nuevo, removiendo regularmente, durante 5-7 minutos a fuego fuerte para cocinar ligeramente las verduras crudas sin dejar que se ablanden demasiado.

6. Añada la quinua cocinada al wok y remueva, todavía a fuego fuerte, hasta que la mezcla esté caliente uniformemente. A continuación, añada el caldo, la salsa de soja y la mezcla de vinagre, removiendo para mezclar bien a medida que el líquido gorgotea. Sirva inmediatamente, añadiendo más salsa de soja si lo desea.

VARIANTES

Puede usar otras verduras, como hinojo, espárragos y cebolletas.

La quinua constituye una alternativa muy agradable al arroz arborio tradicional italiano. A diferencia del risotto, no necesita ser removido constantemente mientras se añade el caldo gradualmente, así que no requiere una atención exclusiva ni servirse inmediatamente. Cubierto con queso duro de alta calidad y servido con ensalada de tomate y cebolla roja, esta es una receta ganadora como plato de invierno para salir del paso.

RISOTTO DE QUINUA Y CHAMPIÑONES

4 RACIONES
30 ml/2 cucharadas de aceite de oliva
300 g/2 tazas de quinua roja
10 cebolletas, cortadas en rodajas finas
3 dientes de ajo, pelados y machacados
Un litro/4 tazas de caldo de verduras
300 g/4 tazas de champiñones picados
25 g/2 cucharadas de mantequilla
60 ml/4 cucharadas de nata doble
Sal y pimienta negra molida
115 g de queso parmesano rallado
Perejil fresco, picado, para guarnición
Ensalada de cebolla roja y tomate, para servir

1. Caliente el aceite en una sartén y añada la quinua, las cebolletas y el ajo. Fría, removiendo, durante 3-4 minutos, hasta que se ablanden.

2. Añada la mitad del caldo y lleve al punto de ebullición. Reduzca el calor y cocine a fuego lento durante unos 5 minutos, removiendo ocasionalmente.

Información nutricional: Sin gluten, si usa caldo libre de él. Energía 568 kcal/2.372 kJ; proteína 22 g; hidratos de carbono 51 g, de los cuales azúcares 6 g; grasas 32 g, de las cuales saturadas 14 g; colesterol 57 mg; calcio 397 mg; fibra 7 g; sodio 535 mg.

3. Añada los champiñones picados a la sartén con el caldo restante y cocine durante unos 8-10 minutos, hasta que la quinua esté suave pero conserve su textura firme.

4. Añada más agua hirviendo si es necesario, para mantener jugoso el risotto.

5. Vierta la mantequilla, la nata, la sal si quiere y pimienta negra para darle sabor. Sirva en platos calentados, espolvoreando con queso parmesano rallado y perejil picado, y acompañado con cebolla roja y ensalada de tomate.

El jambalaya es originario del Caribe y mezcla tradiciones españolas y locales. Normalmente contiene carne y arroz, pero en esta receta la quinua y las verduras se cocinan con caldo y especias hasta estar tiernas. Esta versión medianamente picante usa chile, pimentón y cayena. El jambalaya es una comida por sí misma, pero también se puede servir como acompañamiento para platos de carnes y pescados.

JAMBALAYA CRIOLLO DE JUDÍAS Y QUINUA

Información nutricional: Energía 464 kcal/ 1.939 kJ; proteína 16 g; hidratos de carbono 62 g, de los cuales azúcares 12 g; grasas 18 g, de las cuales saturadas 5 g; colesterol 16 mg; calcio 167 mg; fibra 7 g; sodio 434 mg.

4 RACIONES

30 ml/2 cucharadas de aceite vegetal
Una cebolla mediana, troceada
2 dientes de ajo, machacados
Un chile mediano, seco o fresco, picado finamente
5 ml/una cucharadita de pimentón molido
5 ml/una cucharadita de cayena
Un pimiento rojo, sin semillas y cortado en tiras de 1 cm de ancho aproximadamente
Una berenjena pequeña, lavada y cortada en rodajas de 1 cm de ancho
2 apios, cortados en trozos de 1 cm
2 tomates medianos, lavados y cortados en trozos
115 g/una taza rasa de garrofones o alubias grandes en lata escurridos
275 g/una taza y ²/₃ de quinua perlada
Un litro/4 tazas de caldo de verduras
15 ml/una cucharada de puré de tomate
Sal y pimienta negra molida
2 hojas de laurel
60 ml/4 cucharadas de crema agria y 30 ml/2 cucharadas de queso rallado, para servir

1. Ponga el aceite, la cebolla, el ajo, el chile y las especias en una sartén grande o cacerola y fría durante 4-5 minutos a fuego medio para liberar los sabores picantes. Tenga cuidado de no dorar en exceso la cebolla porque no tendría la textura que requiere este plato caribeño.

2. Añada el pimiento, la berenjena y el apio y caliente junto a la mezcla de especias durante otros 5 minutos, removiendo ocasionalmente, hasta que las verduras comiencen a ablandarse. Añada los tomates, los garrofones, la quinua, el caldo, el puré de tomate, la sazón y hojas de laurel y lleve al punto de ebullición.

3. Reduzca el fuego y cocine a fuego lento durante unos 14-16 minutos, hasta que la quinua esté tierna pero quede algo de caldo (procure que no se consuma todo).

4. Para servir, quite las hojas de laurel y vierta la jambalaya en cuencos hondos. Póngale a cada uno una cucharada de crema agria y un poco de queso rallado por encima porque son el complemento perfecto.

CONSEJO DE COCINA

La jambalaya tradicional puede hornearse después de ser cocinada en los fogones. Esto es ideal si quiere preparar el plato con antelación. Simplemente añada otros 120 ml/½ taza de caldo, póngala en un plato apropiado y hornee durante unos 30 minutos en un horno mediano a 180 °C, cubriéndola si es necesario para evitar que se reseque demasiado.

VARIANTE

Puede usar otro tipo de legumbres. Por ejemplo las judías negras enlatadas para dar un contraste de color llamativo.

Este plato usa verduras de raíz ricas en hidratos de carbono bañadas en crema y queso parmesano, y contiene una deliciosa serie de texturas suaves y crujientes y sabores dulces y salados. Inspirado en las patatas *dauphinois* francesas, constituye una buena comida de plato único vegetariano, y también es una alternativa agradable a las patatas tradicionales para acompañar carnes o pescados.

VERDURAS CON CORTEZA DE QUINUA Y QUESO

4 RACIONES

Una cebolla pequeña, cortada en cubitos
Un diente de ajo, machacado
15 ml/una cucharada de aceite vegetal
225 g de apionabo, pelado y cortado en cubitos de 1 cm
225 g de batata, pelada y cortada en cubitos de 1 cm
225 g de chirivía, pelada y cortada en cubitos de 1 cm
175 ml/¾ de taza de leche
5 ml/una cucharadita de nuez moscada molida
175 ml/¾ de taza de nata doble
225 g de remolacha, pelada y cortada en rodajas muy finas
Sal y pimienta negra molida
Ensalada de rúcula aliñada con mostaza, para servir

Para la corteza de quinua y queso
175 g/una taza de quinua cocinada
75 ml/5 cucharadas de queso parmesano rallado
5 ml/una cucharadita de mezcla de hierbas secas

1. Caliente el horno a 190 °C. En una sartén grande, ablande la cebolla y el ajo en el aceite vegetal a fuego medio durante 3-4 minutos. Añada el apionabo, la batata y la chirivía y fría a fuego medio durante otros 3-4 minutos.

2. Añada la leche a la sartén junto a la nuez moscada y los condimentos, remueva y a continuación lleve la leche al punto de ebullición. Cubra, reduzca el fuego y cocine a fuego lento durante 7-8 minutos, hasta que las verduras comiencen a ablandarse.

3. Vierta la nata sobre las verduras, y después transfiera todo a un plato llano a prueba de horno y reparta los ingredientes por toda la superficie. Coloque las rodajas de remolacha en forma de capa por encima.

4. Prepare la corteza de quinua y queso mezclando los ingredientes en un cuenco, con una buena cantidad de pimienta negra. Extienda la mezcla uniformemente sobre la capa de remolacha.

5. Cubra el plato con papel de aluminio y hornee durante 20-25 minutos, hasta que las verduras estén blandas. Quite el papel y hornee durante otros 15 minutos para permitir que la corteza se dore y se ponga crujiente.

6. Sirva junto a una ensalada de rúcula con pimienta y aliño de mostaza para contrastar con el plato cremoso y rico en matices.

CONSEJO DE COCINA
Mantener las rodajas de remolacha en una capa separada ayuda a retener el color cremoso de la salsa. Asegúrese de que las rodajas son tan finas como sea posible para que se cocinen completamente en el horno.

VARIANTE
Use queso azul rallado como el Stilton para la corteza en lugar de parmesano.

Información nutricional: Sin gluten. Energía 550 kcal/2.289 kJ; proteína 16 g; hidratos de carbono 40 g, de los cuales azúcares 17 g; grasas 38 g, de las cuales saturadas 21 g; colesterol 85 mg; calcio 408 mg; fibra 9 g; sodio 352 mg.

La quinua se presta perfectamente como relleno para verduras, con su excelente perfil nutricional y habilidad para absorber sabores intensos y llamativos. El pimentón ahumado de origen español domina esta receta picante con su poderoso sabor y color profundo, y el plato final es maravillosamente suavizado por una capa de crema agria y queso fundido, que constituyen el complemento perfecto.

CALABAZA RELLENA

4 RACIONES

- Una calabaza grande o dos pequeñas (unos 800 g)
- Aceite de oliva
- 30 ml/2 cucharadas de piñones
- 30 ml/2 cucharadas de avellanas troceadas
- Una cebolla pequeña, en cubitos
- Un diente de ajo
- 5 ml/una cucharadita de pimentón ahumado
- 200 g de tomates triturados en lata
- 250 ml/una taza de agua
- 120 ml/½ taza de vino tinto
- 115 g/⅔ de taza de quinua negra
- 75 g/una taza de queso parmesano rallado
- Sal y pimienta negra molida
- 90 ml/6 cucharadas de crema agria y una pizca de pimentón ahumado
- Ensalada de hojas variadas, para servir

1. Precaliente el horno a 190 °C. Corte la calabaza por la mitad. Quite y deseche las semillas y la fibra.

2. Haga dos líneas a lo largo del interior de la calabaza, separadas por unos 4 cm, y rebane desde debajo para extraer esta sección central. Corte en cubitos la carne extraída.

3. Ponga las mitades de la calabaza en una bandeja de horno con rejilla, con la parte interior mirando hacia arriba, y métalas en el horno. Sazone con sal y pimienta y rocíelas con una pizca de aceite de oliva. Hornee durante 15-20 minutos.

4. En el mismo horno, haga los cubitos de calabaza, poniéndolos en otra bandeja de horno con rejilla. Hornee durante 10 minutos, hasta que estén tiernos, y a continuación añada los piñones y las avellanas y hornee 5 minutos, hasta que los piñones estén dorados. Saque la bandeja y resérvela.

5. Mientras tanto, caliente 15 ml/una cucharada de aceite en una sartén mediana, añada la cebolla, el ajo y el pimentón y fría a baja temperatura durante 5-8 minutos, hasta que la cebolla se ablande.

6. Añada los tomates y su zumo, el agua, el vino y la quinua a las cebollas y cocine a fuego lento durante 13-15 minutos, hasta que la quinua esté tierna. Vierta los frutos secos tostados y sazone al gusto con sal y bastante pimienta negra molida.

7. Retire la sartén del fuego. Rellene la cavidad de las mitades de la calabaza, apilando lo sobrante por encima. Cubra con queso parmesano rallado.

8. Cubra con papel de aluminio, métalas en el horno y cocínelas durante 10 minutos. Retire el papel de aluminio y hornee durante otros 5 minutos, hasta que el queso burbujee y se dore.

9. Remate la calabaza con la crema agria y espolvoree una pizca de pimentón ahumado. Sirva junto a una ensalada de hojas variadas.

VARIANTES

- Use esta mezcla para rellenar otras verduras o setas de su elección, como champiñones de prado, tomates grandes tipo «corazón de buey» o calabacines.
- También puede servir la calabaza rellena con verduras marchitas, cubierta con pan rallado de hinojo caliente (ver página 104).

Información nutricional: Sin gluten. Energía 441 kcal/1.844 kJ; proteína 17 g; hidratos de carbono 40 g, de los cuales azúcares 14 g; grasas 22 g, de las cuales saturadas 8 g; colesterol 32 mg; calcio 400 mg; fibra 5 g; sodio 249 mg.

Siendo un clásico de siempre, el suflé de queso es un plato ligero para el almuerzo o la cena lleno de proteína procedente tanto del huevo como del queso. Esta receta incluye hidratos de carbono y proteínas extra de la quinua, así como brócoli, que es un «superalimento», lo cual lo convierte en un plato completo. Los suflés deben llevarse directamente desde el horno a la mesa, antes de que se hundan.

SUFLÉ DE QUINUA DE BRÓCOLI Y QUESO

4 RACIONES

200 g de brócoli, cortado en cabezuelas pequeñas
50 g/4 cucharadas de mantequilla, y un poco más para engrasar
50 g/½ taza de harina de quinua
360 ml/una taza y ½ de leche
10 ml/2 cucharaditas de granos de mostaza enteros
150 g de queso Stilton, desmenuzado
75 g/una taza de queso parmesano rallado finamente
8 huevos, separados
125 g/¾ de taza de quinua perlada, cocinada
Harina para engrasar
Sal y pimienta negra molida
Ensalada verde crujiente, para servir

1. Cueza las cabezuelas de brócoli al vapor con una cantidad pequeña de agua en una cazuela con tapa, durante un par de minutos, hasta que esté tierno pero retenga la textura firme. Escúrralo bien y apártelo.

2. Engrase con harina un plato a prueba de horno, grande y hondo (unos 20 cm de diámetro). Precaliente el horno a 200 °C.

3. Prepare la salsa de queso. Derrita la mantequilla en una sartén a baja temperatura, vierta la harina de quinua para formar una pasta y cocine durante un minuto. Añada la leche lentamente, removiendo constantemente tras cada adición, hasta formar una salsa blanca y espesa.

4. Retire la sartén del fuego y añada la mostaza, el Stilton desmenuzado y el queso parmesano rallado, y remueva hasta que se fundan. Sazone con un poco de sal y bastante pimienta negra en polvo, apártelo y deje que se enfríe un poco.

5. Bata las claras en un bol hasta que estén espumosas. Bata las yemas en la salsa de queso, haciéndola suave y lustrosa, y a continuación añada la quinua cocinada.

6. Usando una cuchara de metal grande, introduzca las claras de huevo espesas en la salsa de queso, con movimientos rápidos y limpios para evitar que salga mucho aire. Después añada el brócoli.

7. Vierta el suflé sobre el plato engrasado y hornee durante 20-25 minutos hasta que esté dorado e hinchado. Llévelo directamente a la mesa y sirva junto a una ensalada verde crujiente.

CONSEJO DE COCINA

Si quiere adelantar tiempo, puede preparar la salsa de brócoli y queso con antelación. Caliente la salsa hasta que esté templada antes de añadir las claras de huevo batidas y seguir con lo indicado en el quinto paso.

VARIANTES

Pruebe a usar queso cheddar curado en lugar de Stilton y parmesano, con cabezuelas de coliflor en lugar de brócoli, o queso manchego con tomates secos.

Información nutricional: Sin gluten. Energía 537 kcal/2.229 kJ; proteína 29 g; hidratos de carbono 17 g, de los cuales azúcares 2 g; grasas 39 g, de las cuales saturadas 22 g; colesterol 331 mg; calcio 446 mg; fibra 2 g; sodio 767 mg.

Este plato tiene un doble impulso de quinua, con la cubierta de pangrattato, que sustituye al tradicional pan rallado, y también con la pasta de quinua. El pangrattato es un pan rallado crujiente y aromático que se utiliza en la cocina italiana para añadir textura y sabor a los platos de pasta. Puede hacer una cantidad mayor para añadir un toque especial a platos de ensalada o pasta.

PASTA DE RÚCULA Y QUINUA CON PANGRATTATO

Información nutricional: Sin gluten. Energía 931kcal/3.893 kJ; proteína 22 g; hidratos de carbono 94 g, de los cuales azúcares 3 g; grasas 55 g, de las cuales saturadas 27 g; colesterol 102 mg; calcio 244 mg; fibra 3 g; sodio 141 mg.

4 RACIONES

400 g de pasta de quinua
15 ml/una cucharada de aceite de oliva
2 dientes de ajo, machacado
75 g de rúcula, troceada
300 ml/una taza y ¼ de crema fresca
125 g de bolas de mozzarella
Sal y pimienta negra molida

Para el pangrattato picante de hinojo

30 ml/2 cucharadas de aceite de chile
5 ml/una cucharadita de semillas de hinojo
2 dientes de ajo, machacados
½ chile pequeño seco, desmenuzado
30 ml/2 cucharadas de piñones
150 g/una taza rasa de quinua perlada cocinada
Sal y pimienta negra molida

1. Primero prepare el pangrattato. Caliente el aceite de chile en una sartén pequeña y añada especias, piñones y quinua. Cocine, removiendo constantemente, entre 5-8 minutos, hasta que esté dorado y crujiente. Añada sal y pimienta al gusto, y déjelo a un lado.

2. Cocine la pasta durante unos 15 minutos, o siguiendo las instrucciones del envase, en una cazuela grande con agua hirviendo, removiendo de vez en cuando para evitar que se pegue.

3. Mientras tanto prepare la salsa para la pasta. Caliente el aceite de oliva en una sartén mediana y añada el ajo y la rúcula, cocinando durante un par de minutos, hasta que esta última se marchite. Añada la crema fresca y suba el fuego hasta que se caliente uniformemente. Sazone con bastante sal y pimienta.

4. Escurra ligeramente la pasta cocinada y devuélvala a la sartén. Añada las bolas de mozzarella y a continuación vierta la salsa picante. El queso mozzarella debería derretirse ligeramente pero mantenerse intacto. Divida la pasta en cuatro platos previamente calentados.

5. Espolvoree cada ración con una cucharadita de pangrattato, sirviendo el resto en un cuenco pequeño en la mesa, para que cada comensal se sirva al gusto.

CONSEJO DE COCINA

Puede comprar pasta de quinua, que sabe y se prepara de forma similar a la pasta normal, en herbolarios tradicionales o comercios en Internet.

VARIANTES

- Reduzca el picante del pangrattato usando menos chile y aceite vegetal en lugar de aceite de chile.
- Puede tostar las semillas de hinojo primero, y a continuación machacarlas con un mortero para obtener un sabor más fuerte, si lo desea.

Para estas hamburguesas se usan judías negras enlatadas, bajas en grasa y ricas en fibra. Combinada con jalapeños picantes, chile, lima y hojas de cilantro frescas, la quinua añade hidratos de carbono. Sirva en panes de hamburguesa o con trozos de patata y ensalada.

HAMBURGUESAS PICANTES DE JUDÍAS NEGRAS

6 RACIONES

115 g/²/₃ de taza de quinua perlada
350 ml/una taza y ½ de agua
30 ml/2 cucharadas de aceite vegetal
Una cebolla mediana, picada finamente
Un apio, picado
2 dientes de ajo, machacados
6 jalapeños, picados
Un chile verde o rojo, picado
2 zanahorias medianas, ralladas
75 g/½ taza de cacahuetes tostados
Zumo y piel de una lima
15 ml/una cucharada de cilantro fresco, picado
400 g de judías negras enlatadas, enjuagadas y escurridas
15 ml/una cucharada de harina de quinua, para moldear
Sal y pimienta negra en polvo
Pan de hamburguesa, lechuga y tomate cortados y crema fresca

1. Ponga la quinua y el agua en una cazuela mediana, lleve al punto de ebullición y cocine a fuego lento durante 15-17 minutos, hasta que esté blanda. En una sartén, caliente 15 ml/una cucharada del aceite y añada la cebolla, el apio, el ajo, los jalapeños, el chile, sal y pimienta.

2. Cocine durante 2-3 minutos a fuego medio y después añada la zanahoria rallada y cocine durante otros 3 minutos. Deje enfriar. Triture la quinua cocinada, los cacahuetes, el zumo de lima y la piel y el cilantro en un robot de cocina. Añada las judías a la mezcla y active un par de veces la máquina.

3. Añada la mezcla de verduras al robot y actívelo brevemente para mezclar. Compruebe si hace falta sazonar. Dé la forma de seis hamburguesas, manejándolas con cuidado, sazonando y usando harina de quinua según sea necesario para evitar que la mezcla se pegue.

4. Fría las hamburguesas en los 15 ml/una cucharada de aceite restante, añadiendo un poco más si es necesario, y dándoles la vuelta mientras las cocina. Como alternativa, rocíelas con aceite y cocínelas en una barbacoa caliente. Sirva en rollos junto a lechuga picada, tomate y crema fresca.

Información nutricional: Sin gluten. Energía 296 kcal/1.243 kJ; proteína 13 g; hidratos de carbono 33 g, de los cuales azúcares 5 g; grasas 14 g; de las cuales saturadas 2 g; colesterol 0 mg; calcio 55 g; fibra 8 g; sodio 68 mg.

Estos buñuelos suavemente especiados son fáciles de hacer y están llenos de cosas buenas. Servidos con trozos de patata, berros (ricos en hierro) y salsa de yogur, forman una buena cena para días de diario. También son muy sabrosos servidos en pan como alternativa a las hamburguesas, o como buñuelos del tamaño de la boca enrollados en una tortilla blanda con ensalada y pimientos en rodajas como comida para llevar.

BUÑUELOS DE QUINUA CON TROZOS DE BATATA

4 RACIONES

Aceite vegetal, para freír
Una cebolla mediana, picada finamente
Un diente de ajo, machacado
30 ml/2 cucharadas de semillas de amapola
10 ml/2 cucharaditas de comino molido
2'5 ml/½ cucharadita de cúrcuma molida
200 g/una taza generosa de quinua perlada cocinada
Un calabacín mediano, rallado
Una zanahoria mediana, rallada
50 g/⅔ de taza de parmesano rallado
75 ml/5 cucharadas de crema fresca
30 ml/2 cucharadas de harina de quinua, para recubrir
Sal y pimienta negra molida
Berros, rasgados, para servir

Para los trozos de batata picantes

3 batatas medianas, peladas y cortadas en trozos gruesos
30 ml/2 cucharadas de aceite de oliva
2'5 ml/½ cucharadita de pimentón
2'5 ml/½ cucharadita de pimentón ahumado
Un poco de cayena, opcional
30 ml/2 cucharadas de harina de quinua
Sal y pimienta negra molida

Para la salsa de yogur

30 ml/2 cucharadas de aceite de oliva
15 ml/una cucharada de vinagre
60 ml/4 cucharadas de yogur natural
5 ml/una cucharadita de mostaza de Dijon

1. Cueza los trozos de batata en una cazuela de agua salada durante 5 minutos. Después escúrrala y pásela a un cuenco. Precaliente el horno a 200 °C.

2. Añada el aceite, las especias, la harina de quinua y los condimentos al cuenco y remueva los trozos de batata para mezclarlos bien. Extienda la mezcla sobre una bandeja de horno y hornee durante 20-25 minutos hasta que esté dorada y crujiente, dándoles la vuelta una vez a mitad del proceso.

3. Para los buñuelos, añada 15 ml/una cucharada de aceite, la cebolla, el ajo, las semillas de amapola y especias a una sartén grande y fría durante 3-4 minutos, hasta que la cebolla esté blanda.

4. Añada la quinua y las verduras ralladas a la mezcla de cebolla y fría durante otros 5-7 minutos.

5. Sazone con mucha sal y pimienta y vierta el parmesano con la crema fresca (o yogur) para hacer una mezcla maleable. Transfiérala a un cuenco y apártelas hasta que esté suficientemente frías como para poder manejarla.

6. Ponga la harina de quinua en un plato grande y use sus manos para hacer ocho buñuelos, cubriendo cada uno con harina de quinua una vez formados.

7. Bata todos los ingredientes de la salsa en un cuenco pequeño. Cuando las batatas estén casi listas, en una sartén caliente suficiente aceite como para cubrir el fondo, y fría en él los buñuelos durante 3-4 minutos por cada lado, hasta que estén ligeramente dorados y crujientes.

8. Sirva los buñuelos calientes, con trozos de patata, sobre una cama de berros rociados con la salsa.

Información nutricional: Sin gluten. Energía 577 kca/2.398 kJ; proteína 14 g; hidratos de carbono 41 g, de los cuales azúcares 10 g; grasas 45 g, de las cuales saturadas 9 g; colesterol 13 mg; calcio 394 mg; fibra 3 g; sodio 193 mg.

POSTRES Y REPOSTERÍA AL HORNO

Vista principalmente como ingrediente para platos salados, la quinua también es ideal para repostería al horno, especialmente ahora que está disponible en varias formas diferentes. La harina de quinua es, por supuesto, libre de gluten, de modo que los postres se vuelven más accesibles para aquellas personas celíacas. En este capítulo encontrará también recetas hechas con quinua perlada y copos de quinua, formando pudines, postres y acompañamientos para la hora del té más sanos y saciantes.

La quinua vuelve a demostrar su verdadera versatilidad aquí, en un plato delicioso y cremoso basado en la leche. Los postres de arroz han sido populares durante siglos en Oriente Medio, Europa y Asia, donde han proporcionado un sustento esencial. En esta versión, la quinua perlada demuestra ser un sustituto efectivo para el arroz redondo, endulzada y especiada con el aromático cardamomo.

PUDÍN DE QUINUA CON COMPOTA DE CEREZAS

4 RACIONES

Mantequilla, para engrasar
6 vainas de cardamomo verdes
750 ml/3 tazas de leche
2'5 mg/½ cucharadita de canela molida
115 g/⅔ de taza de quinua perlada
5 ml/una cucharadita de extracto de vainilla
50 g/¼ de taza de azúcar moreno natural
60 ml/4 cucharadas de nata

Para la compota de cerezas

350 g/una taza y ½ de cerezas frescas o congeladas sin hueso
Una naranja, quitando una tira de piel y exprimiéndola hasta obtener 150 ml/⅔ de taza de zumo
50 g/¼ de taza de azúcar
Crema fresca, para servir

1. Caliente el horno a 190 °C. Engrase con mantequilla un plato apto para el horno.

2. Con el fondo de un rodillo, machaque las vainas de cardamomo y extraiga las semillas con la punta de un cuchillo afilado. Tire las cáscaras y a continuación muela las semillas con un mortero o en un cuenco robusto con la parte inferior de un rodillo.

3. Vierta la leche en una sartén grande y añada las semillas de cardamomo molidas, la canela y la quinua. Lleve al punto de ebullición, después reduzca mucho el calor y cocine suavemente a fuego lento durante 10 minutos para mezclar los sabores y ablandar la quinua.

4. Retire la sartén del fuego y añada el extracto de vainilla, el azúcar y la nata, y a continuación vierta todo en el plato preparado.

5. Añada un poco más de leche a la mezcla si es necesario. La mezcla debería estar bastante suelta antes de hornearla, o se volverá demasiado seca y sólida durante el proceso.

6. Hornee durante 15-20 minutos, hasta que la parte superior esté dorada y ligeramente crujiente, pero la parte interior se mantenga blanda y ligeramente gelatinosa.

7. Mientras tanto, prepare la compota de cerezas. Ponga las cerezas en una sartén con la piel de naranja, el zumo y el azúcar. Lleve al punto de ebullición y cocine a fuego lento durante 15-20 minutos, hasta que la mezcla tenga una consistencia espesa, como almibarada.

8. Para servir, divida el pudín en cuatro platos. Ponga por encima una cucharada de compota de cereza caliente y un poco de crema fresca.

CONSEJO DE COCINA

Puede servir este pudín frío, poniendo en capas el pudín de leche y la compota en vasos altos, colocando la compota arriba y cubierto con crema.

VARIANTES

- Añada un chorrito de kirsch a la compota.
- Sustituya las cerezas por ciruelas.

Información nutricional: Sin gluten. Energía 460 kcal/1.933 kJ; proteína 11 g; hidratos de carbono 69 g, de los cuales azúcares 51 g; grasas 17 g, de las cuales saturadas 10 g; colesterol 46 mg; calcio 279 mg; fibra 4 g; sodio 95 mg.

Un crumble de frutas clásico es un postre simple, saciante y fácil de hacer, y esta versión de quinua forma un pudín de invierno delicioso y templado. El anís estrellado se usa a menudo en la cocina china en platos salados, pero aquí, combinado con otras especias, añade un delicioso toque cálido al relleno de manzana. Sirva caliente o frío, con nata batida, formando un postre exquisito.

CRUMBLE DE AVELLANA Y PERA

4 RACIONES

- 450 g de pera
- 75 ml/5 cucharadas de zumo de manzana
- 2 anises estrellados
- 10 ml/2 cucharaditas de mezcla de especias para tarta de manzana
- 15 ml/una cucharada de azúcar
- Nata batida, natillas o helado, para servir

Para recubrir el crumble

- 75 g/⅔ de taza de harina de quinua
- 75 g/¾ de taza de copos de quinua
- 75 g/6 cucharadas de mantequilla
- 75 g/6 cucharadas de azúcar moreno
- 50 g de avellanas, troceadas

1. Precaliente el horno a 190 °C. Pele y quite el centro de las peras, y córtelas en rodajas de 2 cm.

2. Coloque las peras en un plato a prueba de horno y añada el zumo de manzana, el anís estrellado, la mezcla de especias y azúcar, removiendo para recubrir las peras de forma homogénea.

3. Para hacer el recubrimiento del crumble, ponga la harina y los copos de quinua en un cuenco grande y usando las puntas de los dedos, frote la mantequilla blanda hasta que la mezcla parezca pan rallado tosco. Use un tenedor para remover el azúcar y las avellanas después.

4. Esparza la mezcla del crumble equitativamente sobre las peras especiadas y hornee durante 25-30 minutos, hasta que esté dorado y las peras se noten blandas cuando las perfore con un cuchillo afilado.

5. Sirva el crumble caliente con nata recién batida, natillas o helado.

VARIANTES

- Use manzanas con la misma mezcla de especias, si lo desea.
- Sustituya el anís estrellado por dos o tres clavos, si lo prefiere.
- También puede usar ruibarbo, pero sustituya el anís y la mezcla de especias por 10 ml/2 cucharaditas de jengibre molido.

Información nutricional: Sin gluten. Energía 486 kcal/2.034 kJ; proteína 7 g; hidratos de carbono 61 g, de los cuales azúcares 37 g; grasas 25 g, de las cuales saturadas 11 g; colesterol 9 mg; calcio 92 mg; fibra 3 g; sodio 123 mg.

La receta original de *brown Betty,* que usaba pan rallado, se originó en América a finales del siglo XIX, y era probablemente una forma frugal de usar pan duro y manzanas maduras. La combinación ganadora de manzanas, azúcar y especias raramente falla, y esta receta rica en quinua no es una excepción. En esta ocasión, los copos de quinua reemplazan el pan rallado.

«BROWN BETTY» DE MANZANA CRUJIENTE

4 RACIONES
75 g/6 cucharadas de mantequilla, ablandada, más una cantidad extra para engrasar
115 g/una taza de copos de quinua
50 g/½ taza de harina de quinua
75 g/6 cucharadas de azúcar moreno
5 ml/una cucharadita de canela, jengibre y nuez moscada molidos
2'5 ml/½ cucharadita de clavos molidos
4 manzanas especiales para cocinar medianas, sin centro, peladas y cortadas en rodajas finas
Crema fresca o helado de vainilla, para servir

1. Precaliente el horno a 180 °C. Engrase con mantequilla un plato hondo a prueba de calor, de aproximadamente 18 cm de diámetro.

2. En un cuenco grande, frote la mantequilla ablandada en una mezcla de copos de quinua y harina, hasta que la mezcla recuerde a pan rallado fino. Añada también el azúcar, la canela, el jengibre y la nuez moscada y los clavos molidos con un tenedor.

3. Coloque un tercio de las manzanas preparadas en una capa homogénea sobre la base del plato elegido. Espolvoree por encima una tercera parte de la mezcla seca y repita las capas dos veces más, terminando con una capa de la mezcla seca.

4. Cocine en el horno durante 30 minutos, hasta que la manzana esté blanda. Se sirve caliente, con crema fresca o helado.

VARIANTE
Sustituya las manzanas por peras estacionales y chips de chocolate negro, si lo prefiere, cubiertos por la mezcla de quinua especiada.

Información nutricional: Sin gluten. Energía 470 kcal/1.969 kJ; proteína 6 g; hidratos de carbono 60 g, de los cuales azúcares 33 g; grasas 24 g, de las cuales saturadas 13 g; colesterol 26 mg; calcio 78 mg; fibra 6 g; sodio 87 mg.

El sabor y el toque a nueces de este postre se logran simplemente tostando la quinua, lo cual se suma al delicioso sabor a café. A pesar de que el resultado tiene un aspecto impresionante, una roulade no es demasiado difícil de hacer y se puede preparar con antelación, así que podrá deleitar a sus invitados con esta inusual versión sin gluten de la clásica versión de crema.

ROULADE DE QUINUA, CAFÉ Y ALMENDRAS

6 RACIONES
75 g/½ taza de quinua
500 ml/2 tazas generosas de agua
4 huevos
150 g/una taza y ¼ de azúcar
75 g/¾ de taza de almendras molidas
25 g/¼ de taza de harina de maíz
5 ml/una cucharadita de levadura
Azúcar, para enrollar
30 ml/2 cucharadas de almendras laminadas
Bayas frescas y café, para servir

Para la crema de café
300 ml/una taza y ¼ de nata batida
15 ml/una cucharada de café instantáneo disuelto en 30 ml/2 cucharadas de agua hirviendo

1. Caliente el horno a 180 °C. Engrase una bandeja de unos 30 x 22 cm y forre la base y lados con papel de horno.

2. Extienda la quinua sobre una bandeja de horno y tuéstela durante 6-8 minutos a temperatura media, hasta que esté dorada. A continuación, póngala en una sartén, añada el agua, lleve al punto de ebullición y cocine durante 12-14 minutos, hasta que esté blanda.

3. Escurra la quinua si es necesario y déjela a un lado para que se enfríe. Bata juntos los huevos y el azúcar con una batidora eléctrica, hasta formar una mezcla ligera y espumosa. Meta dentro las almendras molidas, la harina de maíz, la quinua fría y la levadura en polvo usando una cuchara de metal grande.

4. Extienda la mezcla equitativamente sobre la base de la bandeja preparada y hornee durante 12-15 minutos, hasta que se dore y sea elástica al tacto. Cubra con un trapo limpio y deje enfriar durante 5-10 minutos.

5. Mientras tanto, prepare la crema de café. Bata la nata hasta que esté firme pero suave. Mézclela con el café disuelto y frío y déjela a un lado en la nevera.

6. Ase las almendras en una sartén hasta que estén ligeramente doradas.

7. Mientras la roulade siga ligeramente caliente, corte un trozo de papel de horno algo más grande que esta. Espolvoree las almendras y 15 ml/una cucharada de azúcar.

8. Gire la roulade sobre el papel azucarado y retire el papel de la parte trasera. Haga una hendidura poco profunda sin atravesar toda la roulade, a unos 2 cm de los lados largos. Esto facilita el enrollado.

9. Con cuidado comience a enrollar la roulade desde el mismo lado que la hendidura, haciéndolo tan apretado y recto como pueda. El papel azucarado debería permanecer aún en el rollo. Apártelo para dejar enfriar.

10. Cuando esté completamente frío, desenróllelo, quite el papel azucarado y unte el centro con crema de café. Vuelva a enrollar, colocando por encima cualquier copo de almendra descolocado, y espolvoree con un poco más de azúcar. Sirva con bayas frescas y café.

CONSEJO DE COCINA
Engrasar la bandeja y el papel de horno es esencial.

Información nutricional: Sin gluten. Energía 470 kcal/1.963 kJ; proteína 7 g; hidratos de carbono 46 g, de los cuales azúcares 34 g; grasas 30 g, de las cuales saturadas 13 g; colesterol 51 mg; calcio 86 mg; fibra 1 g; sodio 23 mg.

Todo el mundo disfrutará comiendo estos brownies de aspecto delicioso, ignorando el ingrediente secreto. La harina de quinua es particularmente buena en recetas al horno, pues tiene un contenido graso mayor que la harina de trigo normal. Existen varias formas de hacer brownies, muchas de las cuales funcionan bien, pero la clave es siempre no cocinarlos en exceso pues de lo contrario pierden sus interiores suaves y húmedos.

BROWNIES DE MOCA Y QUINUA

10 UNIDADES

225 g de chocolate
225 g/una taza de mantequilla
15 ml/una cucharada de gránulos de café instantáneos
4 huevos
150 g/una taza y ¼ de harina de quinua
150 g/una taza y ¼ de azúcar mascabado
Azúcar glas o cacao puro en polvo, para poner por encima
Café o helado y bayas frescas, para servir

1. Caliente el horno a 190 °C y recubra una bandeja con papel de cocina engrasado.

2. Rompa el chocolate en cuadrados y derrítalo al baño María. Añada la mantequilla y los gránulos de café instantáneos. Caliente el contenido del cuenco hasta que el chocolate se derrita, y a continuación remueva hasta obtener una mezcla de chocolate suave y aterciopelada. Retire el cuenco del fuego y deje a un lado para que se enfríe ligeramente.

3. Bata los huevos, uno cada vez, sobre la mezcla de chocolate enfriada, y remueva con una cuchara de madera o batidor de globo, y después use una cuchara de metal para introducir la harina y el azúcar.

4. Vierta la mezcla en la bandeja preparada. Alise para repartirla de forma homogénea y después golpee la bandeja con cuidado sobre una superficie de trabajo para eliminar cualquier burbuja de aire o hueco.

5. Hornee durante 15-20 minutos, hasta que los brownies estén firmes por los bordes pero blandos por dentro.

6. Deje enfriar en la bandeja durante 10 minutos para asegurarse de que se asiente la parte central, y después corte en cuadrados con un cuchillo afilado. Deje enfriar totalmente en la bandeja.

7. Espolvoree por encima con lo que prefiera, azúcar glas o cacao puro, y retire los brownies de la bandeja, uno a uno.

8. Disfrútelos junto a una taza de café, o caliéntelo ligeramente y sírvalo como postre con helado y bayas frescas.

Información nutricional: Sin gluten, si usa chocolate libre de él. Energía 413 kcal/1.725 kJ; proteína 5 g; hidratos de carbono 41 g, de los cuales azúcares 30 g; grasas 27 g, de las cuales saturadas 17 g; colesterol 100 mg; calcio 37 mg; fibra 1 g; sodio 158 mg.

El clásico pastel de zanahoria debería ser húmedo y exquisito y esta receta no defraudará, ayudada por la adición de aceite de oliva y una buena proporción de zanahoria rallada. Este pastel no tiene gluten, así que es una receta perfecta para cumplir con unos requisitos nutricionales alternativos. Sírvalo con café o con nata batida para formar un postre exclusivo.

PASTEL DE ZANAHORIA GLASEADO

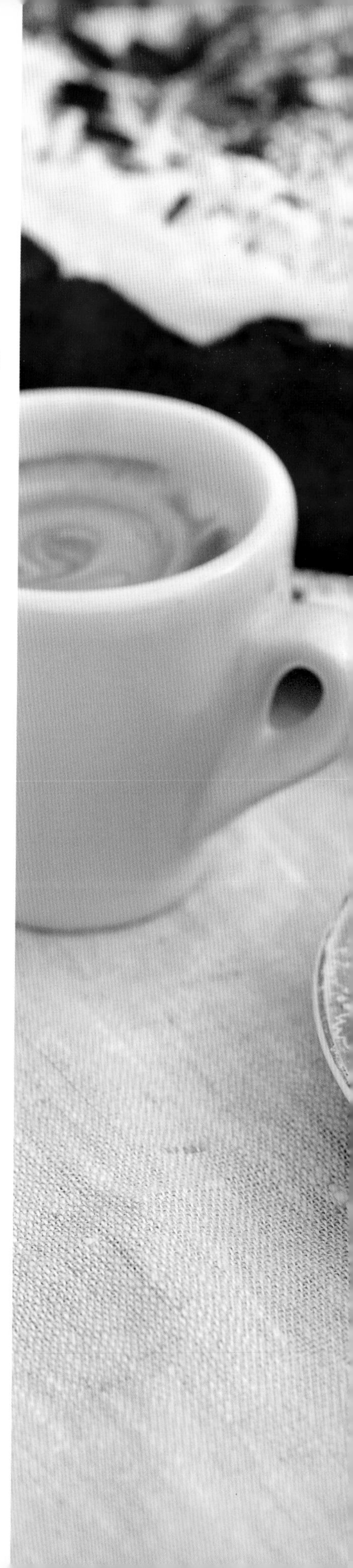

10 RACIONES

175 g/una taza y ⅔ de azúcar moreno
115 g/½ taza de mantequilla, ablandada, y una cantidad extra para engrasar
50 ml/½ de taza de aceite de oliva
3 huevos
115 g/una taza de harina de quinua
75 g/¾ de taza de almendras molidas
5 ml/una cucharadita de levadura en polvo
2'5 ml/½ cucharadita de bicarbonato sódico
5 ml/una cucharadita de canela molida
2'5 ml/½ cucharadita de nuez moscada molida
5 ml/una cucharadita de extracto de vainilla
275 g/2 tazas de zanahorias ralladas
50 g/⅓ de taza de pasas
30 ml/2 cucharadas de cacao puro en polvo y 4-5 trozos de chocolate negro, para decorar

Para el glaseado

350 g/3 tazas de azúcar glas
150 g/⅔ de taza de queso crema
50 g/¼ de taza de mantequilla

1. Precaliente el horno a 180 °C. Engrase con mantequilla y forre una bandeja de 20 cm.

2. En un cuenco grande, mezcle con una batidora eléctrica o manual el azúcar, la mantequilla y el aceite de oliva hasta formar una mezcla. Añada el resto de ingredientes y remueva para formar un rebozado.

3. Vierta la mezcla en la bandeja y hornee durante 40-50 minutos, hasta que se clave una brocheta y salga limpia. Sáquela del horno y déjela reposar durante 10 minutos, y a continuación retire el pastel de la bandeja y apártelo para dejar que se enfríe totalmente sobre una rejilla.

4. Haga el glaseado batiendo juntos los ingredientes en un cuenco hasta formar una mezcla suave. Decore el pastel enfriado con el glaseado, creando un efecto arremolinado con la parte trasera de un tenedor. Tamice con el cacao en polvo y ralle el chocolate por encima.

5. Sirva en rebanadas, con una taza de café.

Información nutricional: Sin gluten. Energía 335 kcal/1.397 kJ; proteína 5 g; hidratos de carbono 33 g, de los cuales azúcares 24 g; grasas 21 g, de las cuales saturadas 8 g; colesterol 64 mg; calcio 59 mg; fibra 1 g; sodio 207 mg.

Esta es una receta de galletas simple y rica en quinua, que le dará una saciedad duradera perfecta como tentempié por la mañana o como merienda por la tarde. El tiempo de horneado es importante con estas galletas: si las deja demasiado tiempo, se quemarán, pero si las saca del horno demasiado pronto, no estarán crujientes, así que vigílelas atentamente durante los últimos minutos de horneado.

GALLETAS DE NARANJA Y QUINUA

18-20 UNIDADES

250 g/una copa y ⅛ de mantequilla blanda
175 g/una taza y ¾ generosos de azúcar moreno
115 g/una taza de copos de quinua
115 g/una taza de harina de quinua
Cáscaras de 3 naranjas finamente ralladas
45 ml/3 cucharadas de sirope dorado
10 ml/2 cucharaditas de extracto de vainilla
Azúcar glas, para espolvorear

1. Precaliente el horno a 190 °C. Cubra dos bandejas con papel de horno.

2. Con un mezclador eléctrico o una cuchara de madera, mezcle la mantequilla y el azúcar hasta formar una mezcla ligera y espumosa.

3. Vierta los copos y la harina de quinua junto con la ralladura de naranja, el sirope dorado y el extracto de vainilla y mezcle a fondo.

4. Coloque cucharadas grandes de la mezcla sobre las bandejas de horno, aplanándolas ligeramente con la parte trasera de una cuchara húmeda y dejando un poco de espacio entre ellas para que puedan expandirse. Hornee durante 12-15 minutos, hasta que estén doradas.

5. Sáquelas del horno y déjelas sobre las bandejas durante unos minutos, antes de traspasarlas a una rejilla para dejarlas enfriar. Espolvoréelas con azúcar glas y sirva.

VARIANTE

Para hacer galletas de naranja y chocolate, añada 25 g de chispas de chocolate cuando mezcle los ingredientes secos.

Información nutricional por cada dos galletas: Sin gluten. Energía 352 kcal/1.467 kJ; proteína 4 g; hidratos de carbono 37 g, de los cuales azúcares 22 g; grasas 22 g, de las cuales saturadas 14 g; colesterol 53 mg; calcio 32 mg; fibra 1 g; sodio 168 mg.

Esta receta es un giro sabroso y efectivo a los tradicionales *flapjacks*. Se usan copos de quinua, que son más firmes y tienen más cuerpo que los de avena, pero que aún así poseen un dulzor empalagoso una vez cocinados. Estos *flapjacks* están llenos de carbohidratos de liberación lenta, de modo que son geniales como aperitivos de media mañana y para las tarteras de los niños.

«FLAPJACKS» DE QUINUA, DÁTILES Y NUECES

8 RACIONES

115 g/½ taza de mantequilla
75 g/6 cucharadas de azúcar mascabado
30 ml/2 cucharadas de sirope dorado
50 g/⅓ de taza de dátiles, picados finamente
30 ml/2 cucharadas de nueces picadas
115 g/una taza de copos de quinua
30 ml/2 cucharadas de copos de avena
5 ml/una cucharadita de mezcla de especias para tarta de manzana
Café o chocolate caliente, para servir

1. Precaliente el horno a 200 °C. Engrase y recubra un molde de horno cuadrado de 18 x 18 cm.

2. En una sartén mediana, caliente la mantequilla, el azúcar y el sirope dorado hasta que se derrita la mantequilla. Remueva para mezclar.

3. Añada el resto de ingredientes a la sartén y remueva bien, hasta que estén perfectamente mezclados.

4. Transfiera la mezcla al molde preparado, aplanándola con la parte trasera de una cuchara de madera y empujando hacia los bordes hasta que la parte superior esté nivelada.

5. Hornee durante 12-14 minutos hasta que esté firme y dorada. Divídala en ocho rebanadas mientras aún esté caliente, y después deje enfriar en el molde hasta que esté totalmente frío.

6. Saque los *flapjacks* del molde. Sirva con café espumoso o chocolate caliente, o guárdelos en un recipiente hermético.

VARIANTE

Reemplace el sirope dorado por miel, y use frutas o frutos secos.

Información nutricional: Sin gluten. Energía 255 kcal/1.064 kJ; proteína 3 g; hidratos de carbono 26 g, de los cuales azúcares 15 g; grasas 16 g, de las cuales saturadas 8 g; colesterol 30 mg; calcio 35 mg; fibra 2 g; sodio 103 mg.

Los muffins son geniales para alimentar bocas hambrientas al final del día, o entre comidas cuando un aperitivo con alto contenido en azúcar no produciría una saciedad tan duradera. Las semillas de lino son una fuente de ácidos grasos esenciales omega-3 y fibra, y son idóneos bien molidos en recetas al horno porque aportan muchos beneficios pero son indetectables.

MUFFINS DE QUINUA, SEMILLAS DE LINO Y PASAS

Información nutricional por muffin: Sin gluten. Energía 287 kcal/1.197 kJ; proteína 6 g; hidratos de carbono 25 g, de los cuales azúcares 14 g; grasas 19 g, de las cuales saturadas 3 g; colesterol 23 mg; calcio 51 mg; fibra 2 g; sodio 24 mg.

12 RACIONES

250 ml/una taza de suero de mantequilla (vea los consejos de cocina)
150 ml/$^{2}/_{3}$ de taza de aceite vegetal
2 huevos
175 g/una taza y ½ de harina de quinua
115 g/una taza de semillas de lino molidas
5 ml/una cucharadita de levadura en polvo
5 ml/una cucharadita de canela en polvo
5 ml/una cucharadita de nuez moscada
115 g/$^{2}/_{3}$ de taza de azúcar
50 g/$^{1}/_{3}$ de taza de pasas
30 ml/2 cucharadas de semillas de lino enteras, para espolvorear
Café o plátano en rodajas recién cortado y crema fresca, para servir

1. Precaliente el horno a 200 °C. Ponga el suero de mantequilla en una jarra, y vierta y bata en ella el aceite y los huevos.

2. Ponga la harina de quinua en un cuenco grande, y vierta y remueva las semillas de lino, la levadura en polvo, la canela molida, la nuez moscada, el azúcar y las pasas.

3. Haga un hueco en el centro de los ingredientes secos. A continuación, vierta la mezcla de suero de mantequilla y huevo, removiendo brevemente para mezclar los ingredientes. La mezcla debe tener una consistencia cremosa para asegurar que la masa sea blanda, así que añada un poco de suero de mantequilla extra si es necesario.

4. Divida la pasta en 12 moldes de muffin, forrados con papel si lo desea.

5. Espolvoree la parte superior de cada muffin con unas pocas semillas de lino, y use la parte final de una cucharilla para empujar hacia dentro de la pasta cualquier pasa que asome, si quiere evitar que se quemen al cocinarse.

6. Hornee durante 18-20 minutos, hasta que los muffins crezcan y estén firmes al tacto. Sáquelos de los moldes y déjelos enfriar sobre una rejilla.

7. Sírvalos calientes con café o con rodajas de plátano recién cortadas y crema fresca, si son para la merienda.

CONSEJOS DE COCINA

- Si no logra encontrar suero de mantequilla, hágalo en casa añadiendo 15 ml/una cucharada de zumo de limón a 250 ml/una taza de leche entera. Deje reposar durante 5 minutos, tiempo después del cual podrá usarse como suero de mantequilla.
- Es fácil triturar las semillas de lino en casa, usando un molinillo de café o un robot de cocina. Guárdelas en un recipiente hermético. Las propiedades nutritivas de estas semillas solo se liberan óptimamente si se trituran.

ÍNDICE DE AMERICANISMOS

ACEITE: óleo.
ACEITUNA: oliva.
AJO: chalote.
ALBARICOQUE: damasco, albarcorque, chabacano.
ALCACHOFA: alcahucil, alcuacil, alcací.
ALMÍBAR: jarabe de azúcar, agua dulce, sirope, miel de abeja.
APIO: apio España, celemí, arracachá, esmirnio, panul, perejil, macedonio.
ARROZ: casulla, macho, palay.
ATÚN: abácora, albácora, bonito.
AZÚCAR GLAS: azúcar glacé.

BACALAO: abadejo.
BACÓN: tocino ahumado.
BERRO: balsamita.
BESUGO: castañeta, papamosca.
BIZCOCHO: biscocho, galleta, cauca.

CACAHUETE: maní.
CALABACÍN: calabacita, zambo, zapallito, hoco, zapallo italiano.
CEREZA: capulín, capulí.
CHAMPIÑÓN: seta, hongo.
CHOCOLATE: cacao, soconusco.
CHULETA: bife.
COL: repollo.
COLIFLOR: brócoli, brécol.

ESCAROLA: lechuga crespa.

FRAMBUESA: mora.
FRESA: frutilla.

GAMBA: camarón, langostino.
GARBANZO: mulato.
GELATINA: jaletina, granetina
GUISANTE: alverja, arveja, chicharro, petit pois, poroto.

HIERBABUENA: hierbasana, hierbamenta, huacatay.
HIGO: tuna.
HUEVO: blanquillo.

JAMÓN: pernil.
JUDÍAS: frijoles, carotas.

LIMÓN: acitrón, bizuaga.

MAICENA: capí.
MAÍZ: cuatequil, capia, canguil.
MANTEQUILLA: manteca.
MANZANA: pero, perón.
MELOCOTÓN: durazno.
MERENGUE: besito.
MERLUZA: corvina.
MORA: nato.

NATA LÍQUIDA: crema de leche sin batir.
NUEZ: coca.

PAN DE MOLDE: pan inglés, pan sándwich, cuadrado, pan de caja.
PASAS: uva pasa, uva.
PASAS DE CORINTO: uva sin carozo, uva pasa.
PASTEL: budin.
PATATA: papa.
PIMIENTA: pebre.
PIMIENTO: ají, conguito, chiltipiquín, chiltona.
PIÑA: ananás, abcaxí.
PLÁTANO: banana, banano, cambur, pacoba.
POMELO: toronja, pamplemusa.
PUERRO: ajo-porro, porro.

REQUESÓN: cuajada.

SALCHICHA: chorizo, cervela, moronga.

TERNERA: jata, mamón, becerra, chota, novilla, vitela.
TOMATE: jitomate.

ZANAHORIA: azanoria.
ZUMO: jugo.

ÍNDICE

HARTFORD PUBLIC LIBRARY
PARK BRANCH
744 PARK STREET
HARTFORD, CT 06106
860-695-7500
WITHDRAWN
Hartford Public Library